SPANISH SENTENCE BUILDERS

A lexicogrammar approach

PRIMARY

PART 2

THE LANGUAGE GYM

Edited by:

Roberto Jover Soro
Inés Glowacka
& Paloma Lozano García

About the authors

Simona Gravina has taught for 16 years, in schools in Italy and the UK, both in state and independent settings. She lives in Glasgow, Scotland. She is fluent in three languages and gets by in a few more. Simona is, besides a teacher, a mum, a bookworm, a passionate traveller and a fitness enthusiast. In the last couple of years she has been testing and implementing E.P.I. in one of the top Independent schools in Scotland, St Aloysius' College, where she is currently Modern Languages Curriculum Leader in the Junior School. In addition, Simona is a committee member of SALT, Scottish Association for Languages Teachers.

Stefano Pianigiani is currently teaching languages at Temple Moor High School in Leeds, England. He teaches Spanish, Italian and French being fluent in four languages and he is also learning others. In addition he is an educator at Nuestra Escuela Leeds, the first supplementary Spanish school in Yorkshire. Stefano is a fervent creator of resources whose greatest passions are cooking and DIY. He has a wide cultural experience having studied and lived in Italy, Spain and England. He has recently completed his MA in Education at Leeds Trinity University reinforcing his knowledge and competence on how to arouse engagement adopting the communicative approach within the classroom. He is an enthusiastic educator who has fully embraced Dr Conti's teaching from its origins. His academic interest has led him to becoming a governor at St. Nicholas Catholic Primary School.

Gianfranco Conti taught for 25 years at schools in Italy, the UK and in Kuala Lumpur, Malaysia. He has also been a university lecturer, holds a Master's degree in Applied Linguistics and a PhD in metacognitive strategies as applied to second language writing. He is now an author, a popular independent educational consultant and a professional development provider. He has written around 2,000 resources for the TES website, which have awarded him the Best Resources Contributor in 2015. He has co-authored the best-selling and influential book for world languages teachers, "The Language Teacher Toolkit", "Breaking the sound barrier: Teaching learners how to listen", in which he puts forth his Listening As Modelling methodology and "Memory: what every language teacher should know". Last but not least, Gianfranco has created the instructional approach known as E.P.I. (Extensive Processing Instruction).

Dylan Viñales has taught for 16 years, in schools in Bath, Beijing and Kuala Lumpur in state, independent and international settings. He lives in Kuala Lumpur. He is fluent in five languages and gets by in several more. Dylan is, besides a teacher, a professional development provider, specialising in E.P.I., metacognition, teaching languages through music (especially ukulele) and cognitive science. In the last five years, together with Dr Conti, he has driven the implementation of E.P.I. in one of the top international schools in the world: Garden International School. Dylan authors an influential blog on modern language pedagogy in which he supports the teaching of languages through E.P.I.

DEDICATION

For my daughter Giulia

-Simona

For my family & Deirdre Jones

-Stefano

For Catrina

-Gianfranco

For Ariella & Leonard

-Dylan

Acknowledgements

Simona would like to thank her daughter Giulia, currently a Primary student, for all her encouragement and for actively testing and giving feedback on the tasks. Huge gratitude to her twin Primary teacher Emanuela for feedback on specific tasks.

Secondly, she would like to thank her colleagues at St Aloysius' College, especially Giulia Frisina for all the contributions and advice in testing the tasks as a trained E.P.I. teacher, who has fully implemented Dr. Conti's methodology in the classroom.

Stefano is indebted to his English mother Maria who has offered her constant help in the choice of words and correct use of the language. He would also like to thank his eagle-eyed pupils at Temple Moor High School for their full engagement and enthusiasm in experimenting with the tasks.

We would like to thank our editors, Roberto Jover Soro, Inés Glowacka and Paloma Lozano García, for their tireless work, proofreading, editing and advising on this book. They are talented, accomplished professionals who work at the highest possible level and add value at every stage of the process. Not only this, but they are also lovely, good-humoured colleagues who go above and beyond, and make the hours of collaborating a real pleasure. Gracias a los tres.

Our sincere gratitude to all the people involved in the recording of the Listening audio files:

Ana del Casar, Paloma Lozano García & José Luis Larrosa. Your energy, enthusiasm and passion comes across clearly in every recording and is the reason why the listening sections are such a successful and engaging resource, according to the many students who have been alpha and beta testing the book.

Thanks to Flaticon.com and Mockofun.com for providing access to a limitless library of engaging icons, clipart and images which we have used to make this book more user-friendly than any other Sentence Builders predecessor, with a view to be as engaging as possible for primary level students.

Finally, our gratitude to the MFL Twitterati for their ongoing support of E.P.I. and the Sentence Builders book series. In particular a shoutout to our team of incredible educators who helped in checking all the units: Aurélie Lethuilier, Nadim Cham, Joe Barnes-Moran, Carmen Aguilar, Maricela Taylor, Madeleine Akers, Tom Ball, Jérôme Nogues, Anneliese Davies, Chris Pye, Ester Borin and Jaume Llorens. It is thanks to your time, patience, professionalism and detailed feedback that we have been able to produce such a refined and highly accurate product.

Gracias a todos,

Simona, Stefano, Gianfranco & Dylan

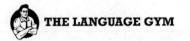

Introduction

Hello and welcome to our second Sentence Builders workbook designed for Primary aged children, designed to be an accompaniment to a Spanish Extensive Processing Instruction course. The book has come about out of necessity, because such a resource did not previously exist.

How to use this book if you have bought into our E.P.I. approach

This book was originally designed as a resource to use in conjunction with our E.P.I. approach and teaching strategies. Our course favours flooding comprehensible input, organising content by communicative functions and related constructions, and a big focus on reading and listening as modelling. The aim of this book is to empower the beginner learner with linguistic tools - high-frequency structures and vocabulary - useful for real-life communication. Since, in a typical E.P.I. unit of work, aural and oral work play a huge role, this book should not be viewed as the ultimate E.P.I. coursebook, but rather as a **useful resource** to **complement** your Listening-As-Modelling and Speaking activities.

Sentence Builders – Online Versions

Please note that all these sentence builders will be available in bilingual and Spanish only versions on the **Language-Gym.com** website, available to download, editable and in landscape design optimised for displaying in the classroom, via the ***Locker Room** section. In addition, all the sentence builders in this book are also available on the **SentenceBuilders.com** website, together with an extensive range of self-marking homework or class assignments, designed to practice listening, reading and writing in keeping with the EPI approach (available via subscription).

*Please note that the Locker Room is only accessible via a paid subscription, as part of a full Language Gym Licence.

How to use this book if you don't know or have NOT bought into our approach

Alternatively, you may use this book to dip in and out of as a source of printable material for your lessons. Whilst our curriculum is driven by communicative functions rather than topics, we have deliberately embedded the target constructions in topics which are popular with teachers and commonly found in published coursebooks.

If you would like to learn about E.P.I. you could read one of the authors' blogs. The definitive guide is Dr Conti's "Patterns First – How I Teach Lexicogrammar" which can be found on his blog (www.gianfrancoconti.com). There are also blogs on Dylan's wordpress site (mrvinalesmfl.wordpress.com) such as "Using sentence builders to reduce (everyone's) workload and create more fluent linguists" which can be read to get teaching ideas and to learn how to structure a course, through all the stages of E.P.I.

Examples of E.P.I. activities and games to play in class, based on MARS EARS sequence, can be found in Simona's padlet (https://en-gb.padlet.com/simograv/svi55fluxeolisi9) "MFL Teaching based on E.P.I. approach, Videos and blogs, Sample activities from Modelling to Spontaneity". These can be used to model tasks.

The book "Breaking the Sound Barrier: Teaching Learners how to Listen" by Gianfranco Conti and Steve Smith, provides a detailed description of the approach and of the listening and speaking activities you can use in synergy with the present book.

 **THE LANGUAGE GYM**

The structure of the book

This book contains 7 units which concern themselves with different topics as listed in the Table of Contents. Each unit includes:

- a sentence builder modelling the target constructions, introduced by questions to guide communication;
- a set of Listening-As-Modelling activities to train decoding skills, sound awareness, speech-segmentation, lexical-retrieval and parsing skills;
- a set of reading tasks focusing on both the meaning and structural levels of the text;
- a set of translation tasks aimed at consolidation through retrieval practice;
- a set of writing tasks targeting essential writing micro-skills such as spelling, functional and positional processing, editing and communication of meaning.

Each sentence builder at the beginning of a unit contains one or more constructions which have been selected with real-life communication in mind. Each unit is built around that construction <u>but not solely on it</u>. Based on the principle that each E.P.I instructional sequence must move from modelling to production in a seamless and organic way, each unit expands on the material in each sentence builder by embedding it in texts and graded tasks which contain both familiar and unfamiliar (but comprehensible and learnable) vocabulary and structures. Through lots of careful recycling and thorough and extensive processing of the input, by the end of each unit the student has many opportunities to encounter and process the new vocabulary and patterns with material from the previous units.

Alongside the units you will find: Oral Ping Pong, One Pen One Dice & No Snakes No Ladders tasks created to practise speaking skills with an engaging and fun games that can be photocopied and played in groups of 3 students.

Important *caveats*

1) **Listening** as modelling is an essential part of E.P.I. The listening files for each listening unit can be found in the AUDIO section on Language-Gym.com - a subscription to the website is **not required** to access these.

2) **All content** in this booklet matches the content on both the **Language Gym** and **Sentence Builders** websites. For best results, we recommend a mixture of communicative, retrieval practice games, combined with Language Gym / Sentence Builders.com games and workouts, and then this booklet as the follow-up, either in class or for homework.

3) This booklet is suitable for **beginner** learners and is an ideal follow-on from **Spanish Primary Sentence Builders – Part 1**. This booklet equates to a **CEFR A1** level, or a beginner **KS2** class. You do not need to start at the beginning, although you may want to dip in to certain units for revision/recycling.

We do hope that you and your students will find this book useful and enjoyable.

Simona, Stefano, Gianfranco & Dylan

 **THE LANGUAGE GYM**

Table of Contents

 **THE LANGUAGE GYM**

UNIT 1

MI FAMILIA

In this unit you will learn how to say in Spanish:

- ✓ Who is in your immediate family
- ✓ What their name is
- ✓ How old they are
- ✓ Numbers up to 100
- ✓ *Me llevo bien con*

You will revisit:

- ★ Numbers up to 31
- ★ Where you live

¿Cuántas personas hay en tu familia?

En mi familia hay cuatro personas:

mi madre, mi padre, mi hermano y yo.

THE LANGUAGE GYM

UNIT 1. MI FAMILIA
I can say who is in my immediate family, their name and age

¿Cuántas personas hay en tu familia?

How many people are there in your family?

| En mi familia somos /hay *In my family we are / there are* | dos 2
tres 3
cuatro 4
cinco 5
seis 6
siete 7
ocho 8
nueve 9
diez 10 | personas *people* | Me llevo bien con *I get on well with*

No me llevo bien con *I don't get on well with* | mi abuelo *my grandfather*
mi abuela *my grandmother*
mi hermano *my brother*
mi hermana *my sister*
mi madre *my mother*
mi padre *my father*
mi tío *my uncle*
mi tía *my aunt*
mi primo *my cousin (male)*
mi prima *my cousin (female)* | |
| Él se llama *He is called*

Ella se llama *She is called* | Carlos
Felipe
José
Juan
Pedro

Ana
Belén
María
Sofía | y tiene *and* he/she *has | once 11
doce 12
trece 13
catorce 14
quince 15
dieciséis 16
diecisiete 17
dieciocho 18
diecinueve 19
veinte 20
veintiuno 21
veintidós 22
veintitrés 23 | veinticuatro 24
veinticinco 25
treinta 30
treinta y uno 31
treinta y dos 32
cuarenta 40
cincuenta 50
sesenta 60
setenta 70
ochenta 80
noventa 90
cien 100 | años *years old* |

*Author's note: In Spanish, to say your age you say *"Tengo diez años"*, which translates literally as "I have 10 years".

THE LANGUAGE GYM

2

Unit 1. My name and age: LISTENING

1. Listen and complete with the missing syllable

a. Mi ma _ _ _   f.   _ _ padre

b. Mi a_ _ _ la   g. Mi _ _ _ mana

c. Mi herma_ _   h. Se _ _ _ ma

d. Vi_ _ con...   i.   Mi _ _ _ mo

e. _ _ _ sonas   j.   En mi fami_ _ _

> no vo mi bue dre
>
> pri her lia per lla

2. Faulty Echo

e.g. Mi hermana tiene siete años.

a. Mi padre se llama Pedro.

b. En mi familia hay tres personas.

c. Vivo con mi tía y mi tío.

d. ¿Cuántas personas hay en tu familia?

e. Mi prima se llama Isabel.

f. Ella se llama Carlota.

3. Break the flow: Draw a line between words

a.   Enmifamiliahayochopersonas.

b.   Vivoconmiabuelomiabuelaymimadre.

c.   Vivoconmipadremimadreymihermano.

d.   MihermanasellamaBelénytienediezaños.

e.   Mitíotienetreintaaños.

f.   MimadresellamaMaríaymellevobienconella.

4. Listen and tick the correct answer

		1	2	3
a.	En mi familia hay	cinco personas	seis personas	siete personas
b.	Vivo con	mi padre	mi madre	mi abuela
c.	Mi hermano	se llama Juan	se llama José	se llama Javier
d.	Mi hermana tiene	doce años	trece años	catorce años

5. Listen and write the number (1-31)

a. ____   d. ____   g. ____

b. ____   e. ____   h. ____

c. ____   f. ____   i. ____

6. Fill in the grid in English

	Family member	Age
a.		
b.		
c.		
d.		
e.		

7. Track the sounds

Listen and write down how many times you will hear the sound

1.	ci	
2.	ce	
3.	ue	
4.	ei	
5.	ch	

8. Spot the Intruder

Identify and underline the word that the speaker is NOT saying

e.g. Mi madre se llama Anita <u>hola</u>.

a. ¿Cómo se llama tu padre? Mi padre es se llama Andrew.

b. ¿Cuántas personas hay en tu familia? Tengo hay seis personas.

c. En mi familia hay cuatro personas: mi padre, mi madre, mi tía y dos yo.

d. Hola, vivo con mi madre y mi familia abuela. Mi abuela tiene sesenta años.

e. Mi hermano tiene dieciséis años y mi padre tiene y cuarenta años.

f. Vivo con mi madre, mi padre y mi abuelo. No tengo mis hermanos.

9. Listen and circle the correct number (31-100)

e.g. ¿Cuántos años tiene tu padre?
Tiene treinta y nueve años.

e.g.	49	29	(39)
a.	61	71	81
b.	100	50	40
c.	92	82	62
d.	44	54	74
e.	93	43	33
f.	35	36	37

10. Listen and tick: True or False?

	True	False
a. My mother is 47		
b. My brother is 16		
c. My aunt is 52		
d. My grandfather is 73		
e. My father is 60		
f. My grandmother is 70		
g. My cousin is 24		
h. My uncle is 38		

11. Catch it, Swap it

Listen, correct the Spanish, then translate the new word/phrase

e.g. En mi ~~hermano~~ **familia** hay cinco personas.

a. En mi familia hay seis personas.

b. Vivo con mi padre. Él tiene cuarenta y tres años.

c. Vivo con mi madre. Ella tiene cuarenta años.

d. Mi tío se llama Pablo y tiene treinta y siete años.

e. Mi prima se llama Jimena y tiene catorce años.

f. Vivo con mi abuela. Ella tiene ochenta años.

g. No tengo hermanos. Vivo con mi tía y mi madre.

e.g. family
a.
b.
c.
d.
e.
f.
g.

12. Sentence Bingo

Write 4 of the sentences into the grid. You will hear sentences in Spanish in a RANDOM ORDER. Tick all 4 of your sentences to win bingo.

1. Mi hermana tiene quince años.
2. Mi abuelo tiene setenta años.
3. Mi primo tiene veinte años.
4. Mi padre se llama Pedro.
5. Vivo con mi padre y mi madre.
6. En mi familia hay cuatro personas.
7. En mi familia hay seis personas.
8. Mi madre tiene treinta y dos años.
9. Mi prima tiene diecisiete años.
10. Vivo con mi abuela y mi abuelo.

THE LANGUAGE GYM

Unit 1. I can say who is in my family: READING

1. Sylla-Moles

Read and put the syllables in the cells in the correct order

lla	Mi	dre	Ana	ma	se	ma

a. *My mother is called Ana:* M_ m_____ s__ ll_____ A__.

ne	pa	ta	Mi	ños	cin	tie	a	cuen	dre

b. *My father is 50 years old:* M__ p_____ t_____
c_____ a_____.

a	Mi	lla	ce	pri	y	tie	quin	ma	mo	ños	ne	se	Juan

c. *My cousin is called Juan and he is 15 years old:* M_ p_____ s_ ll_____
J_____ y t_____ q_____ a_____.

mi	tu	lia	so	¿Cuán	en	nas	tas	fa	per	hay

d. *How many people are in your family?:* ¿C_____ p_____ h___
e_ t_ f_____?

ños	ne	a	ta	bue	tie	o	la	Mi	a	chen

e. *My grandmother is 80 years old:* M_ a _____ t_____
o_____ a_____.

85	46	52	37	70
☐	☐	☐	☐	☐
72	15	26	49	62
☐	☐	☐	☐	☐

A. Match these sentences to the pictures above

a. Mi madre tiene cuarenta y seis años.

b. Mi tío Alfie tiene setenta años.

c. Me llamo Pedro y tengo quince años.

d. En mi familia hay seis personas. Mi abuela tiene setenta y dos años.

e. Mi hermana tiene veintiséis años.

f. Mi tía tiene treinta y siete años.

g. Mi abuelo tiene ochenta y cinco años.

h. Mi prima Anita tiene sesenta y dos años.

i. Mi primo Carlos tiene cuarenta y nueve años.

j. Mi padre se llama Juan y tiene cincuenta años.

B. Read the sentences in task A again and find the Spanish for:

a. My aunt

b. 85

c. There are 6 people.

d. 26 years old

e. My cousin Carlos

f. 49

g. And I am

h. He is 70 years old.

i. She is 37 years old.

j. My uncle

k. My sister

l. I am 15 years old.

m. My father is called.

n. She is 62 years old.

3. Read the paragraphs and complete the tasks below

1. Hola, me llamo **Miguel** y tengo once años. Me encanta mi familia, pero es pequeña. Vivo en Barcelona con mi madre, mi hermana y mi abuelo. También tengo un perro negro. Mi abuelo se llama Fernando y tiene setenta y cuatro años. Mi madre se llama Verónica y me llevo bien con ella. ¿Cuántos años tiene? Tiene cincuenta años.

2. Hola, me llamo **Belén** y tengo nueve años. En mi familia hay cinco personas: mi padre, mi madre, mi hermano, mi hermana y yo. Mi padre tiene cuarenta y nueve años y se llama Luis. No me llevo bien con él. Mi madre tiene cuarenta y cinco años y se llama Isabel. No tengo mascotas. Y tú, ¿Cuántas personas hay en tu familia?

A. For each sentence tick one box	True	False
a. **Miguel** is 11 years old.		
b. He doesn't like his family.		
c. He has a brown dog.		
d. His uncle is called Fernando.		
e. **Belén** is 12 years old.		
f. There are 5 people in her family.		
g. Her mum is 44 years old.		
h. She has a brother and a sister.		

B. Find the Spanish for:

a. My grandfather
b. Seventy-four
c. She is 50 years old.
d. My sister and me
e. In my family there are…
f. I love my family.
g. I do not have pets.
h. A black dog
i. How many people…?
j. But it is small.
k. I get on well with her.
l. And you

C. Read the sentences again and decide if they describe Miguel or Belén

a. Is 9 years old.
b. Has a mum called Verónica.
c. Has a brother.
d. Lives in Barcelona.

e. Has a small family.
f. Has a dad called Luis.
g. Doesn't have pets.
h. Has a 74-year-old grandfather.

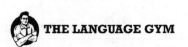 **THE LANGUAGE GYM**

4. Tiles match: pair up the Spanish and English tiles

5. My mother is	6. 30 years old

2. My grandad	f. Mi hermano	c. Mi abuelo	e. Sesenta y cinco años	d. En mi familia
a. Mi madre tiene	4. In my family	3. 65 years old	b. Treinta años	1. My brother

5. Tick or Cross

A. Read the text and tick the box if you find the words in the text, cross it if you do not find them

Hola, me llamo **Jimena** y tengo catorce años. Vivo en Valencia. En mi familia hay siete personas: mi madre, mi padrastro*, mi hermana, dos hermanos, mi abuela y yo. Me gusta, porque es muy grande. También tengo un gato gris que se llama Rómolo. Mi madre tiene cuarenta y cinco años y mi padrastro tiene cuarenta y ocho años. Me llevo muy bien con mi hermana. Ella se llama Carmen, tiene diecisiete años y habla muy bien el español. [*padrastro = stepfather]

		✔	✘
a.	Me gusta		
b.	Trece años		
c.	Se llama		
d.	Mi abuelo y yo		
e.	A grey dog		
f.	I get on really well		
g.	48 years old		
h.	Speaks Spanish very well		

B. Find the Spanish in the texts above

a. My grandmother and me. _____

b. My mother is 45 years old. _____

c. There are seven people. _____

d. Also, I have a grey cat. _____

e. She is 17 years old. _____

6. Language Detective

★ <u>Me llamo</u> **Juan.** Tengo once años. Vivo en Valencia con mi familia. Me llevo bien con mi hermano Luis. Él tiene ocho años. No me llevo bien con mi madre. Ella tiene treinta y nueve años. No tengo mascotas.

★ Me llamo **Rosa.** Tengo doce años. En mi familia hay seis personas: mi padre, mi madre, mi hermana, mi hermano, mi abuelo y mi abuela. Me llevo bien con mi abuelo. Él tiene setenta y dos años. No me llevo bien con mi padre. Él tiene cuarenta y cuatro años.

★ Hola, me llamo **Manolo.** Mi cumpleaños es el cinco de julio. Tengo un perro blanco que se llama Lily. En mi familia hay cuatro personas: mi madrastra, mi padre, mi hermana y yo. También tengo tres primos.

★ Buenos días, me llamo **Paloma.** Vivo en Málaga y hablo español y francés. Tengo una familia grande. Hay siete personas. Me llevo muy bien con mi hermana mayor. Ella tiene veinticinco años. No me llevo bien con mi madre. Ella tiene cincuenta años.

A. Find someone who…

a. …has a 72-year-old grandfather.

b. …was born on the 5th July.

c. …has a 44-year-old father.

d. …has a 50-year-old mum.

e. …has a family of 6 people.

f. …speaks Spanish and French.

g. …has three cousins.

h. …doesn't have pets.

i. …doesn't get on well with father.

B. Find and underline the Spanish in the text. One box is not mentioned!

My name is	She is 25 years old	There are 6 people
I have a big family	I get on well	I am 11 years old
A white dog	My older sister	20th of June
With my mother	48 years old	I don't get on well

7. Square This!

Reorder the sentences in the square to translate the paragraph below. Number them 1 to 15. Then write out the paragraph in Spanish.

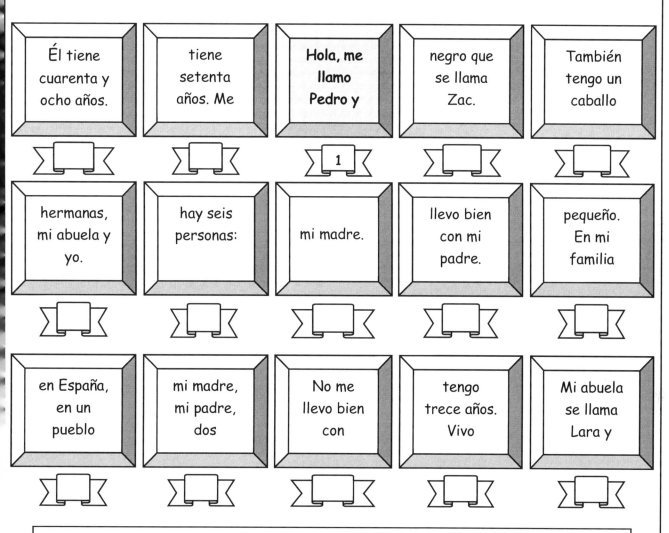

Él tiene cuarenta y ocho años.	tiene setenta años. Me	**Hola, me llamo Pedro y** `1`	negro que se llama Zac.	También tengo un caballo
hermanas, mi abuela y yo.	hay seis personas:	mi madre.	llevo bien con mi padre.	pequeño. En mi familia
en España, en un pueblo	mi madre, mi padre, dos	No me llevo bien con	tengo trece años. Vivo	Mi abuela se llama Lara y

Hello, my name is Pedro and I am 13 years old. I live in Spain, in a small town. In my

family there are six people: my mother, my father, two sisters, my grandmother and me.

My grandmother is called Lara and is 70 years old. I get on well with my father. He is

48 years old. I don't get on well with my mother. I also have a black horse called Zac.

THE LANGUAGE GYM

Unit 1. My name and age: VOCABULARY BUILDING

1. Spelling: fill in the missing letters

a. É__ __ i __ n __ t __ __ ce añ __ __.   *He is 13 years old.*

b. C__ __ __ __ n __ a y d__s __ ños   *42 years*

c. E __ __ a __ __ __ __ a __ a   *She is called*

d. ¿Có __ __ s __ ll __ __ __?   *What is his/her name?*

e. ¿Cuá __ __ __ s años t __ __ n__?   *How old is he/she?*

f. E __ m __ f __ __ __ __ __ __ a h __ __...   *In my family there is/are...*

2. Anagrams: unscramble the Spanish

a. iM drepa niete tecuaren soañ   *My father is 40 years old.*

__ __ __ __ __ __ __ __ __ __ __ __ __ __ __ __ __ __ __ __ __ __ __ __.

b. nE im liafami yah sod sonasper   *In my family there are 2 people.*

__ __ __ __ __ __ __ __ __ __ __ __ __ __ __ __ __ __ __ __ __ __ __ __ __ __.

c. iM namaher es malla Daniela   *My sister is called Daniela.*

__ __ __ __ __ __ __ __ __ __ __ __ __ __ __ __ __ __ __ __ __ __ __.

3. Gapped translation: fill in the missing words

a. Vivo con tres personas: mi madre, mi hermana y mi abuela.

I_____ with three _____: my mother, my sister and my _____.

b. Vivo con mi tía que se llama Gisela y tiene cincuenta y uno años.

I live with my _____ who is _____ Gisela and she is _____ years old.

c. Vivo en Londres con mi padre. Él se llama Pablo y tiene treinta años.

I live in London _____ my _____. ____ is called Pablo and is _____ years old.

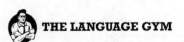

4. No vowels: fill in the missing letters

a. I live with my sister and my father.

V__v__ c__n m__ h__r m__n__ y m__ p__dr__.

b. My grandmother is called Angela.

M__ __b____l__ s__ ll__m__ __ng__l__.

c. My uncle is thirty-five years old.

M__ t____ t____n__ tr____nt__ y c__nc__ __ñ__s.

5. No consonants: fill in the missing letters

a. In my family there are seven people.

E__ __i __a__i__ia __a__ __ie__e __e____o__a__.

b. How many people are there in your family?

¿__úa____a__ __e____o__a__ ____ e__ __u __a__i__ia?

c. I live with my aunt. She is called Lola.

__i__o __o__ __i __ía. E____a __e ____a__a __o__a.

6. Split sentences: match the parts to create sentences

1. Ella tiene	a. mi madre
2. Mi hermano	b. en tu familia?
3. ¿Cómo se llama	c. se llama Mario
4. En mi familia hay	d. veinte años
5. Vivo con	e. tu hermana?
6. ¿Cuántas personas hay	f. tres personas
7. Tengo cuarenta	g. y tres años

1	
2	
3	
4	
5	
6	
7	

THE LANGUAGE GYM

Unit 1. My name and age: WRITING

7. Fill in the gaps

a. Buenos días, me llamo Gabriela. _____ en Málaga, _____ italiano y francés. _____ una familia grande. Hay siete personas. Me _____ muy bien con mi _____ mayor. Ella tiene _____ años. No me llevo _____ con mi madre.

trece	Vivo	Tengo	hermana	hablo	bien	llevo

b. Hola, me llamo Norberto y tengo doce _____. Me _____ mi familia, pero es pequeña. Vivo en Barcelona con ___ madre, mi hermana y mi abuelo. También _____ un perro negro. Mi _____ se _____ Fernando. Él tiene setenta y cuatro años y ___ llevo bien con él.

me	mi	tengo	años	abuelo	encanta	llama

8. Sentence Puzzle

Put the Spanish words in the correct order

a. familia En cinco hay mi personas
   In my family there are five people.

b. ¿en tu familia Cuántas hay personas?
   How many are there in your family?

c. hermana Mi llama se tiene años y cuarenta y dos Daniela
   My sister is called Daniela and she is 42 years old.

d. llevo Me se con padre, mi bien Bernardo llama
   I get on well with my father, his name is Bernardo.

e. con mi madre Vivo Madrid en. Ella años tiene treinta y nueve
   I live with my mother in Madrid. She is 39 years old.

9. Faulty Translation: write the correct English version

e.g. Tengo <u>diez</u> años. ⟹ I am <u>11</u> years old. | *e.g.* I am 10 years old

a. Ella tiene siete años. ⟹ He is 7 years old. | a.

b. ¿Cómo se llama? ⟹ What's your name? | b.

c. ¿Cuántos años tiene él? ⟹ How old are you? | c.

d. Me llamo Nieves. ⟹ Her name is Nieves. | d.

10. Phrase-level Translation. How would you write it in Spanish?

a. She is 30 years old. _____

b. His name is… _____

c. What's her name? _____

d. Her name is… _____

e. He is 20 years old. _____

f. How old are you? _____

11. Sentence Jumble: unscramble the sentences

a. llama se madre Margarita mi se Pablo y llama padre Mi

_____

b. ¿Cuántas hay en familia personas tu?

_____

c. Mi tiene veintiséis hermano años se y llama Simón

_____

d. ¿Cómo llama se hermano tu?

_____

THE LANGUAGE GYM

16

12. Guided Translation

a. ¿C_____ p_____ h_____ e___ t___ f_____?

How many people are there in your family?

b. M__ ll_____ b_____ c_____ m__ h_____ y m__ m_____.

I get on well with my sister and my mother.

c. M__ a_____ s__ ll_____ P_____ y t_____ o_____ a_____.

My grandfather is called Pablo and he is 80 years old.

d. E__ m__ f_____ h_____ d____ p_____: m__ p_____ y y__.

In my family there are two people: my father and I.

13. Tangled Translation

a. Write the Spanish words in English to complete the translation

My name is Catrina. **Tengo** eleven **años**. I live **en Valencia**, I like it **porque es bonita**. In my **familia hay cuatro** people: **mi** mother, **mi padre**, **mi** brother **y yo**. I get on well **con mi hermano**, he **tiene** eight **años**, **pero** I don't get on **bien** with my **madre**. She **tiene treinta y** nine **años**. **Tengo un** white dog **que se llama** Rocco.

b. Write the English words in Spanish to complete the translation

My name is Gabriela y tengo catorce **years**. Vivo **in** Pamplona y **I speak** inglés y **Spanish, but** no hablo portugués. En **mi family there are** cinco personas: **my father**, mi madre, mi hermana, **my grandfather** y mi tía. **I get on well** con mi tía, **she** tiene **thirty-three** años, **but** no me llevo well **with** mi padre, **he** tiene **forty** y seis años. **I don't have** mascotas.

THE LANGUAGE GYM

14. Rock Climbing

Starting from the bottom, pick one chunk from each row to translate the sentences below.

ochenta y tres años.	y con mi primo.	quince años.	cuarenta y dos años.	mi hermana y yo.
Me llevo bien con mi tío	Él tiene	mi madre, mi padre,	Ella tiene	y tiene
con mi hermana.	hay cinco cinco personas:	se llama Roberto	con mi abuelo.	en un pueblo en España.
En mi familia	Mi padre	Me llevo bien	No me llevo bien	Vivo con mi familia
a.	b.	c.	d.	e.

a. In my family there are five people: my mother, my father, my sister and I.

_____

b. My father is called Roberto and he is forty-two years old.

_____

c. I get on well with my sister. She is fifteen years old.

_____

d. I don't get on well with my grandfather. He is 83 years old.

_____

e. I live with my family in a town in Spain. I get on well with my uncle and with my cousin.

_____

UNIT 1
MI FAMILIA

No Snakes No Ladders

SALIDA	1 En mi familia somos	2 Cinco personas	3 ¿Cuántas personas hay en tu familia?	4 Me llevo bien con mi tío	5 Mi padre, mi madre y mi hermano	6 No tengo hermanos	7 José tiene quince años
15 Mi madre tiene cuarenta años	14 Él se llama Felipe	13 En mi familia somos seis	12 Mi padre se llama Juan	11 Mi tío tiene treinta y seis años	10 Mi primo tiene doce años	9 Mi hermana se llama Ana	8 No me llevo bien con mi tía
16 Tengo dos hermanas	17 Sesenta, setenta, ochenta	18 Noventa y cinco años	19 Ella se llama Sofía	20 Me llevo bien con mi prima	21 Él tiene veintidós años	22 Ella tiene setenta y nueve años	23 Treinta y un años
LLEGADA	30 Ella tiene cincuenta años	29 Me llevo bien con mi familia	28 Tiene dieciocho años	27 Ochenta, noventa, cien	26 Mi tía se llama Carmen	25 En mi familia somos tres	24 María tiene catorce años

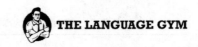

THE LANGUAGE GYM

19

No Snakes No Ladders

	1 In my family we are	2 Five people	3 How many people are there in your family?	4 I get on well with my uncle	5 My father, my mother and my brother	6 I don't have brothers	7 José is 15 years old
SALIDA	14 He is called Felipe	13 In my family we are 6	12 My father is called Juan	11 My uncle is 36 years old	10 My cousin (m) is 12 years old	9 My sister is called Ana	8 I don't get on well with my aunt
15 My mother is 40 years old	16 I have 2 sisters	18 95 years	19 She is called Sofia	20 I get on well with my cousin(f)	21 He is 22 years old	22 She is 79 years old	23 31 years old
16 I have 2 sisters	17 Sixty, seventy, eighty	18 95 years					
LLEGADA	30 She is 50 years old	29 I get on well with my family	28 ...is 18 years old	27 Eighty, ninety, one hundred	26 My aunt is called Carmen	25 In my family we are 3	24 Maria is 14 years old

THE LANGUAGE GYM

UNIT 2

¿CÓMO ERES?

In this unit you will learn how to say in Spanish:

- ✓ What type of personality you/others have
- ✓ Quantifiers/Intensifiers

You will revisit:

- ★ Masculine/Feminine adjectival agreement
- ★ Verb *ser (soy/eres/es)*

¿Cómo eres?

Normalmente soy graciosa y amable.

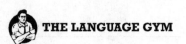
THE LANGUAGE GYM

UNIT 2. ¿CÓMO ERES?

I can say what type of personality myself and others have

¿Cómo eres? *What are you like?*

Por lo general *In general*	**soy** *I am* **no soy** *I am not*	**bastante** *quite* **muy** *very* **un poco** *a little*	**activo/a** *active* **amable** *kind* **feliz** *happy* **hablador/a** *talkative* **inteligente** *intelligent* **optimista** *optimistic* **paciente** *patient*	

Me llevo bien con *I get on well with*	**mi abuelo** *my grandfather* **mi amigo** *my friend* **mi hermano** *my brother* **mi padre** *my father*	**porque es** *because he/she is* **pero es** *but he/she is* **sin embargo es** *however, he/she is*	**antipático** *mean* **generoso** *generous* **gracioso** *funny* **molesto** *annoying* **perezoso** *lazy* **severo** *strict* **simpático** *nice* **terco** *stubborn* **tímido** *shy*	
No me llevo bien con *I do not get on well with*	**mi abuela** *my grandmother* **mi amiga** *my friend* **mi hermana** *my sister* **mi madre** *my mother*		**antipática** *mean* **generosa** *generous* **graciosa** *funny* **molesta** *annoying* **perezosa** *lazy* **severa** *strict* **simpática** *nice* **terca** *stubborn* **tímida** *shy*	

THE LANGUAGE GYM

Unit 2. Personality: LISTENING

1. Listen and complete with the missing syllable

a. Pa _ _ _ _ te

b. Simpá _ _ ca

c. Ha _ _ _ dora

d. _ _ neroso

e. Gra _ _ _ so

f. Inteli _ _ _ te

g. Me _ _ _ vo

h. Mo _ _ sto

i. Fe _ _ _ _

j. Antipáti _ _

> cio le gen bla lle
>
> ti ge co liz cien

2. Faulty Echo

e.g. Mi hermano es un poco <u>antipático</u>.

a. Mi padre es muy simpático.

b. Por lo general soy paciente.

c. Me llevo bien con mi abuela.

d. No me llevo bien con mi madre.

e. Mi amigo es un poco tímido.

f. Mi hermana es habladora y terca.

g. Por lo general soy bastante feliz.

h. ¿Cómo eres? Soy amable.

3. Break the flow: Draw a line between words

a. Mellevobienconmimadreporqueesgraciosa.

b. Nomellevobienconmiabueloporqueessevero.

c. Mipadreesmuyinteligente,perounpocotímido.

d. Porlogeneralmellevobienconmihermanamayor.

e. MiamigasellamaLisa.Esmuysimpáticaygenerosa.

f. Nomellevobienconmiamigoporqueesperezoso.

g. Porlogeneralnosoyoptimista,perosoyamable.

4. Listen and tick the correct answer

		1	2	3
a.	Por lo general	soy simpático	soy simpática	soy antipática
b.	Mi padre es	perezoso	paciente	inteligente
c.	Mi amiga es	generosa	graciosa	gracioso
d.	Soy muy	hablador	habladora	amable
e.	Mi abuela es	un poco severa	bastante severa	muy severa

5. Spot the Intruder

Identify and underline the word that the speaker is NOT saying

e.g. Me llevo bien con mi <u>soy</u> madre porque es simpática.

a. ¿Cómo eres? Por lo general soy muy bastante paciente y gracioso.

b. No me llevo bien con mi abuela porque es terca pero y severa.

c. Me llevo bien con mi amigo Carlos porque es perezoso simpático.

d. No soy muy inteligente, pero me llevo soy muy activo y feliz.

e. Mi hermano bastante es un poco tímido, pero no es molesto.

f. Mi amiga Ariana es muy habladora, porque pero es amable.

6. Listen and tick: True or False?

		True	False
a.	My mother is friendly		
b.	My brother is annoying		
c.	My friend Enrique is funny		
d.	My grandfather is strict		
e.	My father is generous		
f.	My grandmother is mean		
g.	My cousin Gabriela is shy		
h.	In general, I am kind		
i.	I get on well with my mum because she is talkative		
j.	I don't get on well with my uncle because he is lazy		

7. Fill in the grid in English

e.g. My uncle	kind, funny
a. I	
b. My father	
c. _____	_____, shy
d. My grandfather	
e. My mother	
f. _____	lazy, _____
g. My friend	
h. My cousin	
i. My brother	
j. _____	kind, _____

8. Narrow Listening. Gapped translation

a. In general, I am quite _____ and _____. I ____
_____ _____ with my _____ because she is _____, but at
times she is a little_____. I don't get on _____ with my
_____ because he is _____.

b. What are you like? I am not _____, but I am _____. I get
on well with my _____ because he is _____ _____
however, he is not _____. I don't _____ ___ well with my
_____ Paloma because she is _____ _____ .

THE LANGUAGE GYM

9. Catch it, Swap it

Listen, correct the Spanish, then translate the new word/phrase

*e.g. Mi abuelo es gracioso pero un poco ~~simpático~~ **severo**.*

a. Por lo general soy bastante optimista.

b. ¿Cómo eres? Normalmente soy terco y activo.

c. Me llevo bien con mi primo porque es antipático.

d. Mi tío es bastante generoso, pero un poco molesto.

e. Mi amiga Clara es muy amable, pero no es inteligente.

f. No me llevo bien con mi abuela porque es muy feliz.

g. Soy un poco activa, sin embargo, no soy paciente.

e.g. strict

a.

b.

c.

d.

e.

f.

g.

10. Sentence Bingo

Write 4 of the sentences into the grid. You will hear sentences in Spanish in a RANDOM ORDER. Tick all 4 of your sentences to win bingo.

1. Mi hermano es muy molesto.
2. Mi hermana mayor es un poco antipática.
3. Me llevo bien con mi abuelo.
4. Por lo general soy graciosa.
5. Mi madre es bastante generosa.
6. Me llevo mal con mis padres.
7. No soy optimista, pero soy inteligente.
8. Normalmente mi primo es perezoso.
9. Mi tía es bastante simpática.
10. No me llevo bien con mi amigo Luis.

11. Listening Slalom

Listen and pick the equivalent English words from each column – drawing a line as you follow the speaker

e.g. Mi hermana es optimista y feliz, pero un poco antipática. – My sister is optimistic and happy, but a little mean.

You could colour in the boxes for each sentence in a different colour and read out the sentence in Spanish

e.g.	**My sister**	I am shy,	she is patient	I am stubborn
a.	My brother	I am not	**and happy, but**	very talkative
b.	In general,	**is optimistic**	because he is mean	and very kind
c.	I get on well with	is funny	but at times	**a little mean**
d.	I don't get on well with	my mother because	and very nice	but strict
e.	My grandfather	my father	and generous	but quite lazy
f.	Normally,	is very intelligent	active, but I am	and he is not funny

THE LANGUAGE GYM

Unit 2. I can describe personality: READING

1. Sylla-Moles

Read and put the syllables in the cells in the correct order

cien	fe	Soy	te	liz	pa	muy	y

a. *I am very patient and happy:* S___ m_____ p_____ y f_____.

cio	lo	ro	Mi	es	co	pe	ter	gra	a	so	bue

b. *My grandfather is funny, but stubborn:* M___ a_____ e___ g_____, p_____ t_____.

tí	ma	sta	co	her	le	na	mi	po	es	da	y	mo	Mi	un

c. *My sister is a little annoying and shy:* M___ h_____ e___ u___ p_____ m_____ y t_____.

pe	go	Mi	dor	es	ble	a	es	a	ha	mi	bla	ro	ma	no

d. *My friend is not talkative, but he's kind:* M_ a_____ n__ e___ h_____, p_____ e___ a_____.

se	Me	ro	con	lle	ra	ma	pe	vo	es	mi	ve	bien	dre

e. *I get on well with my mother, but she is strict:* M_ ll_____ b_____ c____ m___ m_____, p_____ e___ s_____.

2. Read the paragraphs and complete the tasks below

1. Vivo en Bilbao con mi padre, mi madre y mi abuela. Por lo general, me llevo bien con mi madre porque es generosa y muy amable, pero a veces es severa. Mi abuela se llama Anita y tiene sesenta y ocho años. Ella es muy simpática y habladora. No me llevo bien con mi padre porque es un poco terco. Él tiene cuarenta y ocho años. **(Felipe)**

2. Hola, por lo general soy bastante graciosa y optimista. En mi familia hay cuatro personas. Me llevo bien con mi padre porque es paciente y activo, pero a veces es antipático. Mi hermana tiene catorce años y es un poco perezosa. No me llevo muy bien con mi hermano porque es tímido. Sin embargo, es inteligente. Y tú, ¿Cómo eres? **(Maribel)**

A. For each sentence tick one box	True	False
a. Felipe gets on well with his mum.		
b. His mum is generous, but strict.		
c. His gran is mean and lazy.		
d. Felipe's dad is very stubborn.		
e. Maribel, in general, is kind and funny.		
f. Her dad is patient and active.		
g. Her sister is 15 and she is shy.		
h. She doesn't get on well with her brother because he is chatty.		

B. Find the Spanish for:

a. She is very nice.
b. She is strict.
c. She is 68.
d. I don't get on well with...
e. In general
f. He is a little stubborn.
g. She is a little lazy.
h. In my family there are...
i. However, he is intelligent.
j. What are you like?
k. I am quite funny.
l. Sometimes he is mean.

C. Read the sentences again and decide if they refer to Felipe or Maribel

a. Dad is 48 years old.
b. Gets on well with mum.
c. Sister is 14 years old.
d. Is optimistic.

e. Mum is very kind.
f. Brother is shy.
g. Grandmother is chatty.
h. Has a family of 4 people.

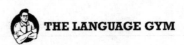

3. Tiles Match. Pair them up

3. I get on well	b. Soy muy gracioso

1. A little chatty	*6. I don't get on well*	*4. Very happy*	d. Muy feliz	e. No me llevo bien
f. Mi madre es	*5. I am very funny*	a. Me llevo bien	c. Un poco hablador	*2. My mother is*

4. Tick or Cross

A. Read the text and tick the box if you find the words in the text, cross it if you do not find them

Hola, me llamo **Juan** y tengo trece años. Vivo en Sevilla con mi familia. Por lo general, soy bastante activo y feliz. Me llevo bien con mi hermana porque es graciosa y simpática, pero no me llevo bien con mi abuelo porque es un poco antipático. Mi madre se llama Ana y tiene cuarenta y nueve años. Normalmente es generosa y amable. Sin embargo, a veces es un poco terca. Me gusta mi padre porque es bastante inteligente y optimista, pero a veces es muy perezoso.

		✔	✕
a.	Bastante inteligente		
b.	Trece años		
c.	Pero a veces		
d.	Mi abuela porque		
e.	Normally she is		
f.	A little shy		
g.	Is quite intelligent		
h.	Funny and kind		
i.	She is 49 years old		

B. Find the Spanish in the texts above

a. She is 49 years old. _____

b. She is generous and kind. _____

c. In general, I am quite active. _____

d. However, at times she is... _____

e. Because he is a little mean. _____

THE LANGUAGE GYM

5. Language Detective

★ ¿Cómo eres? <u>Por lo general,</u> soy bastante amable. Tengo doce años y soy muy activa. Me llevo muy bien con mi hermano menor Francisco porque es muy gracioso y también me llevo bien con mi madre. Ella tiene cuarenta años. Es muy paciente y optimista. **Lola**

★ Tengo once años. En mi familia hay cinco personas. Me llevo bien con mi madrastra porque es graciosa y simpática. No me llevo bien con mi abuela porque es muy habladora y severa. **Jaime**

★ Hola, me llamo **Sergio.** Vivo en un pueblo pequeño en el sur de España. Me llevo bien con mi amiga Alicia porque es muy inteligente y graciosa. También me gusta mi padre porque es feliz y generoso. Sin embargo, a veces es un poco tímido.

★ ¿Cómo eres? Normalmente soy bastante paciente. Tengo quince años y me llevo bien con mi hermana mayor Isabel. Ella es muy activa y también simpática. No me llevo bien con mi tía. Ella tiene treinta y cinco años y es un poco terca. **Leo**

A. Find someone who…

a. … is normally very patient.

b. …lives in the south of Spain.

c. …has a young brother who is very funny.

d. …doesn't get on well with their gran.

e. …has a 40-year-old mum.

f. …doesn't get on well with their aunt.

g. …has a friend who is very intelligent.

h. …has a older sister who is very active.

i. …has a talkative grandmother.

B. Find and underline the Spanish in the text. One box is not mentioned!

In general	She is 35 years old	I live in a small town
She is very patient	I get on well	with my stepmother
However, at times	He is a bit shy	very talkative and strict
Also I like	He is kind and generous	I also get on well

6. Square This!

Reorder the sentences in the square to translate the paragraph below. Number them 1 to 15. Then write out the paragraph in Spanish.

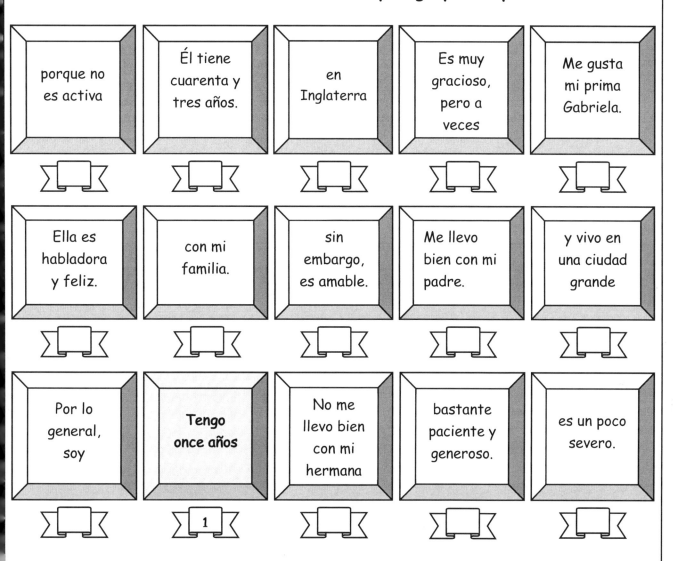

porque no es activa	Él tiene cuarenta y tres años.	en Inglaterra	Es muy gracioso, pero a veces	Me gusta mi prima Gabriela.
Ella es habladora y feliz.	con mi familia.	sin embargo, es amable.	Me llevo bien con mi padre.	y vivo en una ciudad grande
Por lo general, soy	**Tengo once años** [1]	No me llevo bien con mi hermana	bastante paciente y generoso.	es un poco severo.

I am 11 years old and I live in a big city in England with my family. In general, I am quite patient and generous. I get on well with my father. He is 43 years old. He is very funny, but at times he is a bit strict. I don't get on well with my sister because she is not active however, she is kind. I like my cousin Gabriela. She is talkative and happy.

Unit 2. Personality: WRITING

1. Spelling

a. S__ __ m__y __nte __ __ __ __ nte.   *I am very intelligent.*

b. E__ ba__ __ __ nte a__ __ iv__.   *She is quite active.*

c. N__ so__ pa__ __ __ nte.   *I am not patient.*

d. ¿Có __ __ e__ __s?   __ oy tí__ __ do.   *What are you like? I am shy.*

e. Él __s se__ __ro y pere__ __so.   *He is strict and lazy.*

f. M__ m__ d__ __ e__ a__ a__ __ e.   *My mum is kind.*

2. Anagrams

a. mi bualoe se stabaten verose.   *My grandfather is quite strict.*

__ __.

b. mi miago se midotí, roep lizfe.   *My friend is shy, but happy.*

__ __.

c. im atí es nerogesa y ciosagra.   *My aunt is generous and funny.*

__ __.

3. Gapped Translation

a. Por lo general, soy bastante optimista y paciente. Sin embargo, soy tímida.

In general, __ ___ quite optimistic and _____. _____, I am shy.

b. Me llevo bien con mi abuela porque es simpática y habladora.

I_____ ___ _____ with my _____ because she is nice and _____.

c. No me llevo bien con mi hermana porque es antipática y perezosa.

I_____ get on _____ with my _____ because she is _____ and _____.

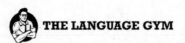

4. No Vowels

a. My friend Pedro is a little shy.

M__ __m__g__ P__dr__ __s __n p__c__ t__m__d__.

b. I am not intelligent, but I am kind.

N__ s__y __nt__l__g__nt__, p__r__ s__y __m__bl__.

c. My brother is quite talkative.

M__ h__rm__n__ __s b__st__nt__ h__bl__d__r.

5. No Consonants

a. My grandfather is generous but strict.

__i a__ue__o e__ __e__e__o__o __e__o __e__e__o.

b. What are you like? In general, I am stubborn.

¿__ó__o e__e__?__o__ __o __e__e__a__, __o__ __e___o.

c. My sister is talkative and funny.

__i __e___a__a e__ __a___a__o__a y ___a__io__a.

6. Split Sentences

1. Me llevo bien	a. soy paciente y feliz
2. Por lo general	b. con mi hermana
3. Soy bastante	c. Soy bastante activo
4. Mi madre	d. inteligente y amable
5. Mi primo Carlos es	e. pero severa
6. ¿Cómo eres?	f. es simpática
7. Soy muy generosa,	g. un poco perezoso

1	
2	
3	
4	
5	
6	
7	

THE LANGUAGE GYM

7. Fill in the gaps

a. Hola, tengo trece _____ y vivo en Barcelona. Por lo general, _____ bastante activo y _____. Me _____ bien con mi madre porque es _____, pero a veces es un _____ severa. No me llevo bien con mi abuelo porque es muy _____ y antipático.

gracioso	poco	años	generosa	llevo	terco	soy

b. ¿Cómo eres? Normalmente soy muy feliz y _____ paciente. Me llevo bien con mi familia y tengo dos _____. Me gusta mi padre _____ es inteligente. Sin embargo, es un poco _____. No _____ llevo bien con mi _____ Alejandra porque es muy _____.

perros	me	perezoso	tímida	hermana	bastante	porque

8. Sentence Puzzle
Put the Spanish words in the correct order

a. llevo Me con hermano bien es amable porque mi
   I get on well with my brother because he is kind.

b. ¿eres Cómo? bastante gracioso Soy inteligente y
   What are you like? I am intelligent and quite funny.

c. abuela molesta es No llevo con me porque mi bien
   I don't get on well with my grandmother because she is annoying.

d. Carmen es Mi muy prima simpática, embargo sin es perezosa
   My cousin Carmen is very nice, however she is lazy.

e. soy paciente No muy generoso y pero soy hablador
   I am not patient, but I am very talkative and generous.

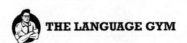

9. Faulty Translation: write the correct English version

e.g. Soy <u>muy</u> perezoso. ⟹ *I am <u>quite</u> lazy.* | *e.g. I am very lazy*

a. Ella es simpática y amable. ⟹ She is shy and kind. | **a.**

b. Mi padre es un poco gracioso. ⟹ My father is a little old. | **b.**

c. Mi tía es muy habladora. ⟹ My aunt is very patient. | **c.**

d. Él es bastante molesto. ⟹ He is very active. | **d.**

e. No soy muy generoso. ⟹ I am very generous. | **e.**

10. Phrase-level Translation. How would you write it in Spanish?

a. She is very intelligent. _____

b. I get on well with… _____

c. My grandmother is a little strict. _____

d. What are you like? _____

e. Because he is quite shy. _____

f. However, I am patient. _____

11. Sentence Jumble: unscramble the sentence

a. llevo con mi porque mayor hermana Me bien graciosa es

_____

b. simpática es muy es embargo Mi severa sin abuela

_____

c. bien No llevo con mi padre es antipático me porque

_____

d. poco Por general, feliz soy lo hablador un y

_____

12. Guided Translation

a. ¿C_____ e_____? N_____ s_____ m_____ f_____.

What are you like? Normally I am very happy.

b. M__ ll_____ b_____ c_____ m_ p_____ p_____ e__ g_____.

I get on well with my cousin because she is funny.

c. M__ a_____ e__ i_____, p_____ a v_____ e__ m___ s_____.

My grandmother is intelligent, but at times she is very strict.

d. M__ ll_____ J_____. N__ s___ t_____. S__ e_____, s___ p_____.

My name is Juan. I am not shy. However, I am lazy.

13. Tangled Translation

a. Write the Spanish words in English to complete the translation

I am 12 years old **y vivo en España** with my family. **Por lo general,** I am quite happy **y generoso.** I get on well **con mi madre.** She is 40 years old. **Se llama Sara** and she is very patient, **pero a veces,** she is **un poco perezosa. Me llevo mal con** my brother because **es antipático,** however he is active. **También me gusta mi abuela porque,** she is optimistic.

b. Write the English words in Spanish to complete the translation

My name is Mirabel, tengo quince años **and I live in Colombia. In general,** soy muy amable **and happy.** Me llevo bien **with my sister Luisa.** Me gusta Luisa **because she is very** activa y fuerte. **I don't get on well with** mi hermana Isabela porque es muy habladora **and she is a bit mean.** No me gusta **my grandmother Alma** porque **she is quite strict, however she is** muy inteligente. **I also like my cousin Antonio,** pero es tímido.

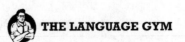
THE LANGUAGE GYM

14. Rock Climbing

Starting from the bottom, pick one chunk from each row to translate the sentences below.

un poco perezosa.	pero es un poco molesta.	y amable.	y generoso.	muy hablador.
y también	Ella es muy simpática, pero	pero es muy inteligente	porque es graciosa,	soy bastante paciente
treinta y dos años.	con mi padre	con mi hermana	optimista. Sin embargo,	soy bastante activo
Me llevo bien	Por lo general,	Me llevo mal	Mi tía tiene	No soy muy
a.	b.	c.	d.	e.

a. I get on well with my sister because she is funny, but she is a little annoying.

_____

b. In general, I am quite active and also very talkative.

_____

c. I get on badly with my father, but he is very intelligent and generous.

_____

d. My aunt is 32 years old. She is very nice, but a little lazy.

_____

e. I am not very optimistic. However, I am quite patient and kind.

_____

15. Staircase Translation

Starting from the top, translate each chunk into Spanish.

Write the sentences in the grid below.

a.	I am kind	and intelligent.				
b.	My mother	is very generous	and patient.			
c.	I get on well	with my cousin Lola	because she is funny	and she is not mean.		
d.	My name is Carlos. I am a little	shy because I am not	very talkative.	I like my uncle, but	he is annoying.	
e.	Ana, what are you like?	In general,	I am active	and happy,	but sometimes	I am lazy.

Answers / Respuestas

a.	
b.	
c.	
d.	
e.	

🏆 Challenge / Desafío

Can you create 2 more sentences using the words in the staircase grid above?

☆	
☆	

THE LANGUAGE GYM

One pen One dice

Play in pairs. You only have 1 pen and 1 dice.

One person has the pen and starts translating the sentence into **English.** The other person rolls the dice until they roll a 6, they swap the pen and translate. The winner is the person who finishes translating all the sentences first.

1. Por lo general soy muy habladora.	
2. Me llevo bien con mi hermano.	
3. No soy paciente, pero soy muy amable.	
4. Mi madre es un poco severa.	
5. Mi padre es inteligente y optimista.	
6. Mi abuela es tímida, pero simpática.	
7. ¿Cómo eres? Soy feliz.	
8. Mi hermano no es perezoso.	
9. Mi amiga Lola es generosa.	
10. Mi abuelo es activo, pero molesto.	

One pen One dice

Play in pairs. You only have 1 pen and 1 dice.

One person has the pen and starts translating the sentence into **Spanish.** The other person rolls the dice until they roll a 6, they swap the pen and translate. The winner is the person who finishes translating all the sentences first.

1. In general I am very talkative (f).	
2. I get on well with my brother.	
3. I am not patient, but I am very kind.	
4. My mother is a little strict.	
5. My father is intelligent and optimistic.	
6. My grandmother is shy, but nice.	
7. What are you like? I am happy.	
8. My brother is not lazy.	
9. My friend Lola is generous.	
10. My grandfather is active but annoying.	

THE LANGUAGE GYM

UNIT 3

LOS OJOS Y EL PELO

In this unit you will learn how to describe in Spanish:

- ✓ Eyes (colour and size)
- ✓ Hair (colour, length, style)
- ✓ Other facial features
- ✓ Use of verb *'Ser' (soy/eres/es)*- To be (I am/you are, he/she/it is)

You will revisit:

- ★ Adjectival agreement
- ★ *'Tener'* (*tengo/tienes/tiene*)
- ★ Describing people's personality

Tengo el pelo rubio, corto y ondulado. Llevo gafas.

Tengo el pelo negro, largo y liso. Tengo los ojos verdes.

THE LANGUAGE GYM

UNIT 3. LOS OJOS Y EL PELO

I can describe what people look like

¿De qué color son tus ojos? *What colour are your eyes?*

¿Cómo es tu pelo? *What is your hair like?*

(Yo) Tengo *I have*	**los ojos** *eyes*	**azules** *blue* **marrones** *brown* **negros** *black* **verdes** *green*	**y** *and* **ni...ni** *neither... nor*	**grandes** *big* **pequeños** *small*	**(No) Llevo** *I (don't) wear* **(Él/Ella) Lleva** *He/She wears* **(Él/Ella) No lleva** *He/she does not wear*	**gafas** *glasses* **barba** *(a) beard* **bigote** *(a) moustache*
(Yo) No tengo *I don't have* **Mi padre tiene** *My father has* **Mi hermana tiene** *My sister has*	**el pelo** *hair*	**castaño** *brown* **negro** *black* **rubio** *blond*	**liso** *straight* **rizado** *curly* **ondulado** *wavy*	**a media melena** *medium length* **corto** *short* **largo** *long*	**(Yo) tengo** *I have* **(Él/Ella) tiene** *He/She has* **(Él/Ella) no tiene** *He/She does not have*	**pecas** *freckles*

(Yo) Soy *I am* **(Él) Es** *He is*	**alto** *tall* **bajo** *short*	**delgado** *slim* **gordo** *fat*	**guapo** *handsome* **feo** *ugly*	**moreno** *brunette* **pelirrojo** *redhead*
(Yo) Soy *I am* **(Ella) Es** *She is*	**alta** **baja**	**delgada** **gorda**	**guapa** **fea**	**morena** **pelirroja**

THE LANGUAGE GYM

Unit 3. I can describe what people look like: LISTENING

1. Listen and complete with the missing syllable

a. Casta _ _

f. O _ _ _

b. Ma _ _ _ nes

g. _ _ _ vo

c. Ru _ _ _

h. Ga _ _ _

d. Pelirro _ _

i. On _ _ lado

e. Ri _ _ do

j. _ _ _ to

bio	lle	za	jos	ño
jo	du	fas	rro	cor

2. Faulty Echo: Underline the mispronounced words

e.g. Tengo el <u>pelo</u> negro y largo.

a. Mi padre tiene el pelo corto.

b. Mi madre tiene el pelo rubio.

c. ¿De qué color son tus ojos?

d. Tengo los ojos azules y grandes.

e. Ella tiene los ojos marrones.

f. Tengo el pelo a media melena.

g. ¿Cómo es tu pelo? Es rizado.

h. Mi padre lleva barba y bigote.

3. Break the flow: Draw a line between words

a. Yotengolosojosverdesypequeños.

b. Notieneelpelonicastañonilargo.Llevabarba.

c. Mihermanotieneelpeloliso.Llevagafas.

d. Nollevobigote.Tengoelpeloamediamelena.

e. Mihermanaespelirrojaytieneelpeloondulado.

f. ¿Dequécolorsontusojos?Sonmarrones.

g. ¿Cómoestupelo?Tengoelpelonegroyliso.

h. Nollevonibarbanibigote.Tengoelpelonegro.

4. Listen and tick the correct answer

		1	2	3
a.	Tengo el pelo	negro y corto	corto y liso	castaño y corto
b.	Mi padre tiene	los ojos negros	los ojos verdes	los ojos marrones
c.	Mi abuela es	rubia y tiene el pelo largo	pelirroja y tiene el pelo largo	morena y tiene el pelo rizado
d.	Mi amigo Luis	es bajo y delgado	es alto y delgado	es bajo y guapo
e.	Soy	alta y fea	guapa y baja	gorda y baja

5. Spot the Intruder

Identify and underline the word that the speaker is NOT saying

e.g. Tengo el pelo negro, corto y <u>pero</u> liso.

a. ¿Cómo es tu pelo? Tengo el pelo rubio, soy rizado y corto.

b. ¿De qué color son tus ojos? Me tengo los ojos negros y pequeños.

c. Yo soy alta y delgada. Tengo los ojos azules. Tengo no pecas y llevo gafas.

d. Mi hermana es baja y guapa. Tiene el pelo castaño y ni largo.

e. Mi hermano mayor es bastante alto pero tiene un poco gordo.

f. Mi amigo Pablo tiene el pelo largo y lleva bigote. No tiene llevo pecas.

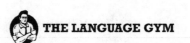

6. Listen and tick: True or False? ✓

	True	False
a. My friend Ana is tall.		
b. My uncle José Luis is short.		
c. I have big blue eyes.		
d. She has small green eyes.		
e. My father wears glasses.		
f. My mother has freckles.		
g. My brother is a redhead.		
h. My sister is a brunette.		
i. I am beautiful and slim.		
j. He has a beard.		
k. I am neither fat nor slim.		

7. Fill in the grid in English

	Eyes	Hair
a. Ana		
b. Merche		
c. Lola		
d. Juan		
e. Carmen		
f. Pepe		

8. Narrow Listening. Gapped translation

a. I have _____ eyes and _____ curly_____. I am _____ tall and a little _____. Normally, I am very _____ and I get on well with my _____ Sergio. He is short and _____. He has _____ eyes and he wears _____. He is a _____ and he has short and _____ hair.

b. What colour are your _____? I have _____ eyes and _____ _____ hair. I am very _____ and a little ____. In general, I am quite _____ and _____, but I don't _____ with my sister. She is _____ and beautiful. She has _____ eyes and she has _____. She has _____, _____ and wavy hair.

THE LANGUAGE GYM

9. Catch it, Swap it

Listen, correct the Spanish, then translate the new word/phrase

e.g. Mi hermano tiene el pelo negro y ~~lise~~ rizado.

	e.g. curly
a. Mi padre tiene barba, bigote y lleva pecas.	a.
b. ¿De qué color son mis ojos? Son verdes.	b.
c. Yo no tengo el pelo ondulado. Soy pelirroja.	c.
d. Soy bastante alto y muy guapo. Llevo gafas.	d.
e. Mi amigo José es un poco gordo y muy bajo.	e.
f. Mi prima tiene once años. Es baja y delgada.	f.
g. Soy bastante activo. Tengo el pelo rubio y corto.	g.

10. Sentence Bingo

Write 4 of the sentences into the grid. You will hear sentences in Spanish in a RANDOM ORDER. Tick all 4 of your sentences to win bingo.

1. Mi amigo Alejandro es alto y guapo.
2. Mi abuela lleva gafas y es baja.
3. Tengo los ojos marrones y grandes.
4. Tengo el pelo negro, corto y rizado.
5. Mi gato es perezoso, pero no es feo.
6. Mi padre es pelirrojo y tiene pecas.
7. No llevo gafas. Tengo los ojos verdes.
8. Soy bastante alto y un poco gordo.
9. No soy ni bajo ni alto, pero soy delgado.
10. Mi abuelo Rodrigo tiene barba y bigote.

4

11. Listening Slalom

Listen and pick the equivalent English words from each column – drawing a line as you follow the speaker.

e.g. *Mi madre tiene el pelo negro, largo y liso. Es alta – My mother has black, long and straight hair. She is tall.*

You could colour in the boxes for each sentence in a different colour and read out the sentence in Spanish.

e.g.	**My mother**	but I am tall.	I wear glasses.	I am not tall.
a.	I have	is a redhead.	medium length and	is slim.
b.	My friend Isabela	I have brown hair	**straight hair.**	He wears glasses.
c.	I am not handsome	**has black, long and**	and wavy hair but	and I have dark hair.
d.	I am very beautiful.	doesn't have neither a	She has freckles and	I am a bit fat.
e.	My brother	brown eyes and	I have blue eyes	**She is tall.**
f.	I have freckles.	I have blond	beard nor a moustache.	I am short.

THE LANGUAGE GYM

Unit 3. I can describe what people look like: READING

1. Sylla-Moles

Read and put the syllables in the cells in the correct order

los	ver	jos	o	des	go	des	y	gran	Ten

a. *I have green big eyes:* T_____ l__ o_____ v_____ y g_____.

ru	na	her	pe	tie	Mi	ne	ma	el	bio	lo

b. *My sister has blond hair:* M__ h_____ t_____ e____
p_____ r_____.

fas	ga	y	ga	del	Soy	do	vo	to	al	Lle

c. *I am tall and slim. I wear glasses:* S_____ a_____ y d_____.
L_____ g_____.

cor	ne	go	Mi	tie	a	to	lo	el	mi	pe

d. *My friend has short hair:* M__ a_____ t_____ e __ p_____
c_____.

gua	stan	y	que	ba	pe	ño	Soy	po	te

e. *I am quite short and handsome:* S_____ b_____ b_____ y
g_____.

THE LANGUAGE GYM

2. Read, match and find the Spanish

A. Match these sentences to the pictures above

a. Mi hermana tiene el pelo negro y largo.

b. Mi abuelo lleva barba y bigote.

c. Mi amiga Verónica tiene pecas y es pelirroja.

d. Mi perro es un poco gordo pero gracioso.

e. Mi gato es bastante delgado y perezoso.

f. Mi padre lleva bigote. Tiene el pelo castaño.

g. Tengo el pelo corto y liso. Llevo gafas.

h. Mi pingüino es bastante alto y muy hablador.

i. Tengo los ojos grandes y marrones.

j. Mi madre es alta y tiene el pelo rubio.

B. Read the sentences in task A again and find the Spanish for:

a. My cat is…
b. A little fat
c. Has brown hair
d. Is quite slim
e. Has a beard
f. Is a redhead
g. Black and long hair
h. My mother is tall.
i. Has brown hair
j. Is quite tall
k. My sister
l. Very talkative
m. Big brown eyes
n. Has blond hair

3. Read the paragraphs and complete the tasks below

1. Tengo once años y vivo en Marbella. Soy amable y generosa pero un poco tímida. Tengo el pelo rubio, corto y liso. Soy bastante alta y tengo los ojos azules. No llevo gafas. Me llevo bien con mi hermano mayor porque es hablador. Él tiene el pelo castaño y ondulado y lleva bigote. Por lo general me gusta mi hermana pequeña porque es simpática. Ella no tiene el pelo ni corto ni largo. Tiene el pelo a media melena. **(Paloma)**

2. Vivo en Sevilla y tengo trece años. Soy bastante inteligente y activo. Soy pelirrojo. Tengo el pelo corto. No tengo pecas. Me llevo mal con mi madre porque es severa. Ella tiene los ojos marrones y el pelo negro y largo. Tiene cuarenta y cinco años y a veces es un poco perezosa. Me llevo muy bien con mi abuelo. Él lleva gafas y barba. Tiene un gato un poco gordo y gracioso que se llama Bo. **(Santiago)**

A. For each sentence tick one box	True	False
a. Paloma is generous but very shy.		
b. She has blond, short and straight hair.		
c. She is quite tall and has green eyes.		
d. Her sister has medium length hair.		
e. Santiago is quite intelligent and active.		
f. He has short and wavy hair.		
g. His mum has blue eyes.		
h. His grandfather's cat is a little fat.		

B. Find the Spanish for:
a. With my older brother
b. I am a redhead.
c. I am quite tall.
d. I don't wear glasses.
e. Because she is strict.
f. I like my little sister.
g. He wears glasses.
h. She is 45 years old.
i. Neither long nor short
j. I get on really well with
k. Black and long hair
l. She has brown eyes

C. Read the sentences again and decide if they refer to Paloma or Santiago

a. ... is 13 years old.
b. Grandfather's cat is called Bo.
c. Gets on well with older brother.
d. Mum is a little lazy.

e. Brother has brown hair.
f. Lives in Sevilla.
g. Mother has long black hair.
h. Brother has a moustache.

4. Tiles Match. Pair them up

6. I am very tall	1. I don't wear glasses

3. I have straight hair	d. No llevo gafas	b. Tengo pecas	2. Brown eyes	c. Bastante baja
5. I have freckles	4. Quite short	f. Ojos marrones	e. Soy muy alto	a. Tengo el pelo liso

5. Tick or Cross

A. Read the text and tick the box if you find the words in the text, cross it if you do not find them

Me llamo Carlota. Tengo diez años y vivo en Málaga. Mi cumpleaños es el tres de enero. Tengo dos hermanas y un conejo. Mi conejo es gris, es muy delgado y un poco feo. Por lo general soy activa. Tengo el pelo castaño y rizado. Me llevo bien con mi hermana Alicia porque es graciosa. Ella tiene el pelo rubio y ondulado y es bastante alta. Me llevo mal con mi hermana Ana porque es antipática. Ella tiene el pelo a media melena. Lleva gafas.

		✓	✗
a.	Es bastante alta.		
b.	Mi cumpleaños es…		
c.	Es un poco tímida.		
d.	El pelo corto y liso.		
e.	Medium length hair.		
f.	…is very slim.		
g.	Blond and curly hair.		
h.	I have 3 sisters.		
i.	Usually, I am lazy.		

B. Find the Spanish in the texts above

a. She has blond and wavy hair.   _____

b. …is very slim and a little ugly.   _____

c. I have 2 sisters and a rabbit.   _____

d. I have brown and curly hair.   _____

e. She has medium length hair.   _____

6. Language Detective

★ ¿Cómo es tu pelo? Tengo el pelo castaño, largo y ondulado. Llevo gafas y soy bastante baja. Por lo general soy tímida pero generosa. Me llevo muy bien con <u>mi padre</u> porque es paciente y simpático. Él tiene cuarenta y cuatro años. Tiene los ojos marrones. No lleva ni barba ni bigote. **Pilar**

★ ¿De qué color son tus ojos? Tengo los ojos marrones y grandes. Tengo una perrita blanca que se llama Lily. Ella es bastante delgada y tranquila. Su cumpleaños es el diez de febrero. Me llevo bien con mi padre porque es simpático. Él tiene el pelo moreno, corto y liso, y es muy alto. **Ariella**

★ ¿Cómo eres? Normalmente soy perezoso. Vivo en un pueblo bonito en el norte de España. Soy pelirrojo. Tengo el pelo largo y rizado. Llevo gafas y tengo pecas. Tengo un gato marrón bastante gordo pero muy activo. **Max**

★ ¿Cómo eres? Por lo general soy amable y muy hablador. Tengo catorce años y vivo en una ciudad cerca de la costa. Tengo los ojos azules y pequeños. Tengo el pelo castaño, corto y ondulado. Mi madre es morena y guapa. **Alejandro**

A. Find someone who…

a. ...wears glasses and has freckles.

b. ...is shy but generous.

c. ...lives in a city near the coast.

d. ...is a redhead and has long and curly hair.

e. ...has a dark haired dad.

f. ...has neither a beard nor a moustache.

g. ...has a beautiful, brunette mum.

h. ...has a quite slim and quiet dog.

i. ...has small blue eyes.

B. Find and underline the Spanish in the text. One box is not mentioned!

My father	He is 44 years old	I am kind and very talkative
… the 10th of February	He has dark hair	He has brown eyes
Quite fat	What's your hair like?	annoying and strict
In a pretty town	I have small blue eyes	I am 14 years old

7. Square This!

Reorder the sentences in the square to translate the paragraph below. Number them 1 to 15. Then write out the paragraph in Spanish.

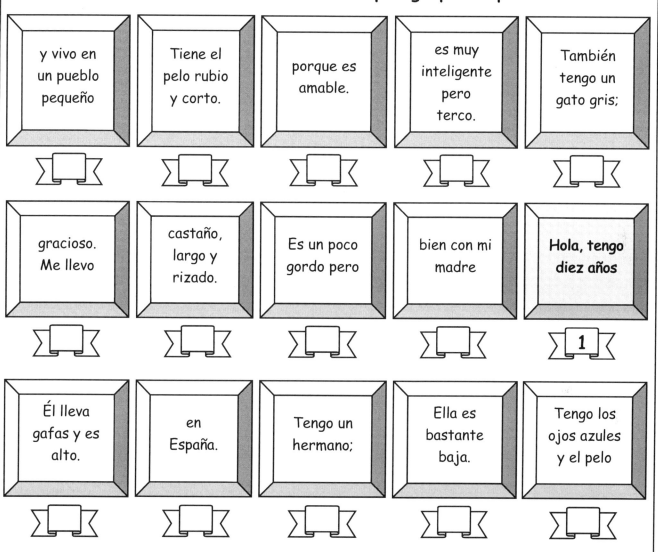

y vivo en un pueblo pequeño	Tiene el pelo rubio y corto.	porque es amable.	es muy inteligente pero terco.	También tengo un gato gris;
gracioso. Me llevo	castaño, largo y rizado.	Es un poco gordo pero	bien con mi madre	**Hola, tengo diez años** [1]
Él lleva gafas y es alto.	en España.	Tengo un hermano;	Ella es bastante baja.	Tengo los ojos azules y el pelo

Hello, I am 10 years old and I live in a small town in Spain. I have blue eyes and brown, long and curly hair. I have one brother; he is very intelligent but stubborn. He wears glasses and he is tall. I also have a grey cat; he is a little fat, but funny. I get on well with my mother because she is kind. She is quite short. She has short blond hair.

8. Crack-it Transl-it

1. Mi gato	2. ¿Cómo eres?	3. Mi hermana	4. el pelo	5. y
6. los ojos	7. se llama Oro.	8. gafas	9. ¿De qué color	10. largo
11. Tengo	12. un poco	13. Soy bastante	14. y liso	15. Es
16. castaño	17. grandes.	18. son tus ojos?	19. ondulado.	20. alta
21. marrones.	22. rubio,	23. Soy pelirrojo	24. gordo.	25. pecas.
26. No llevo	27. verdes	28. tiene	29. bajo	30. negro

C: Crack-it: crack the code and write the sentence in Spanish

T: Transl-it: translate the sentence into English

a. 9-18-11-6-27-5-17-23-5-29

C: _____

T: _____

b. 2-13-20-11-4-22-10-5-19-26-8

C: _____

T: _____

c. 1-7-28-4-30-5-6-21-15-12-24

C: _____

T: _____

d: 3-28-6-27-15-20-5-28-4-16-14

C: _____

T: _____

THE LANGUAGE GYM

Unit 3. I can describe what people look like: WRITING

1. Spelling

a. T__ __ g__ e__ __ __ l__ casta__ __.   *I have brown hair.*

b. É__ e__ ba__ __ __ __ nte al__ __.   *He is quite tall.*

c. E__ __a n__ __s n__ ba__ __ n__ fe__.   *She is neither small nor ugly.*

d. ¿Có __ __ e__ t__ pe__ __?   *What is your hair like?*

e. M__ p__ __ro es u__ po__ __ gor__ __.   *My dog is a little fat.*

f. M__ __ __to __s m__y del__ __do.   *My cat is very slim.*

2. Anagrams

a. eTong osl joso rdeves   *I have green eyes.*

— — — — — __ — — — __ — — — — — __ — — — — — — .

b. nieTe le lope stacaño y rtoco   *He has brown and short hair.*

— — — — — __ — — __ — — — — __ — — — — — — — __ — — __ — — — — — — .

c. enTie sacpe y valle safag   *She has freckles and wears glasses.*

— — — — — __ — — — — — __ — __ — — — — — __ — — — — — .

3. Gapped Translation

a. Mi abuela es bastante baja. Tiene el pelo rubio y rizado y lleva gafas.

My _____ is quite _____. She has_____ _____ hair and wears _____.

b. No soy ni bajo ni alto. Tengo el pelo negro y liso.

I am _____ short _____ tall. I have _____and _____ hair.

c. Mi padre lleva barba y bigote. Es muy guapo y simpático.

My father has a _____ and a _____. He is very _____ and _____.

4. No Vowels

a. My grandfather has brown eyes.

M__ __b__ __l_ t__ __n_ l__s __j_s m__rr__n__s.

b. I wear glasses. I am neither tall nor short.

LL__v__ g__f__s. N__ s__y n__ __lt__ n__ b__j__.

c. My dog is a bit fat and ugly, but funny.

M__ pe__ro es __n poc__ gor__o y f__o, per__ grac__os__.

5. No Consonants

a. My mum is a brunette. She is beautiful.

__i __a__ __e e__ __o__e__ a. E__ __a e__ __ua__a.

b. What colour are your eyes? They are green.

¿__e __ué __o__o__ __o__ __u__ o__o__? __o__ __e__ __e__.

c. My rabbit is slim and has big eyes.

__i __o__e__o e__ __e__ __a__o y __ie__e __o__ o__o__ __ __a__ __e__.

6. Split Sentences

1. Mi padre	a. Es un poco baja	
2. Tengo el pelo	b. alto	
3. Soy bastante	c. barba ni bigote	
4. Mi hermana lleva	d. es pelirrojo	
5. Mi abuelo no lleva ni	e. castaño y corto	
6. ¿Cómo es tu amiga?	f. melena	
7. Tiene el pelo a media	g. gafas	

1	
2	
3	
4	
5	
6	
7	

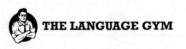
THE LANGUAGE GYM

7. Fill in the gaps

a. ¿Cómo ____ tu pelo? Tengo el pelo_____, largo y _____. Soy _____ alto y _____ gafas. Soy bastante gracioso y _____ pero a veces un poco terco. Tengo un gato blanco ____ se llama Reina y _____ los ojos azules.

llevo	es	tiene	muy	rubio	hablador	que	ondulado

b. Mi hermana se _____ Anabel y es bastante _____. Ella tiene los ojos _____ y pequeños. Tiene _____ pero no _____ gafas. Anabel tiene el pelo negro, _____ y rizado. Tiene un _____ gris que es un poco _____ pero muy activo y feliz.

pecas	simpática	gordo	corto	llama	marrones	lleva	ratón

8. Sentence Puzzle

Put the Spanish words in the correct order

a. los Tengo marrones ojos. alto soy ni No bajo ni
   I have brown eyes. I am neither tall nor short.

b. no hermana el tiene rubio Mi pelo. es morena Ella
   My sister doesn't have blond hair. She is a brunette.

c. lleva tío barba Mi. Él corto pelo el negro y tiene
   My uncle has a beard. He has black (and) short hair.

d. Teresa tiene castaño el amiga media pelo a melena Mi
   My friend Teresa has brown, medium length hair.

e. perezoso gato Mi es pero muy gracioso. gordo ni delgado ni No es
   My cat is very lazy but funny. He is neither fat nor slim.

THE LANGUAGE GYM

9. Faulty Translation: write the correct English version

e.g. Tengo el pelo <u>negro</u>. ⟹ *I have <u>red</u> hair.* | *e.g. I have black hair*

a. Luis lleva barba ⟹ Luis has a moustache | a.

b. Mi tío lleva gafas ⟹ My uncle has freckles | b.

c. No soy pelirroja ⟹ I am not a brunette | c.

d. Él es alto y delgado ⟹ He is short and slim | d.

e. ¿Eres bajo y guapo? ⟹ Are you tall and handsome? | e.

10. Phrase-level Translation. How would you write it in Spanish?

a. He has blue eyes. _____

b. My sister has long blond hair. _____

c. I have short brown hair. _____

d. What colour are your eyes? _____

e. She is a redhead and she is short. _____

f. I have medium length hair. _____

11. Sentence Jumble: unscramble the sentences

a. los marrones pequeños Tengo y gafas llevo ojos y

_____

b. Mi tiene el y amigo lleva corto Carlos rizado pelo y barba

_____

c. baja No ni alta soy ni. pecas Tengo soy y guapa muy

_____

d. hermano catorce años Mi tiene. pelo el rubio ondulado y Él tiene

_____

12. Guided Translation

a. ¿C_____ e__ t__ p_____? T_____ e___ p_____ c_____ y l_____.
What is your hair like? I have brown (and) long hair.

b. M___ p_____ t_____ l__ o____ n_____. E__ u__ p_____ g_____.
My dog has black eyes. He is a little fat.

c. M__ p_____ M_____ e__ m_____. E___ b_____ y g_____.
My cousin María is a brunette. She is short and beautiful.

d. T_____ d_____ a____. T_____ e__ p_____ r_____, c_____ y r_____.
I am 12 year old. I have blond, short and curly hair.

13. Tangled Translation

a. Write the Spanish words in English to complete the translation

Hello, **me llamo Pablo**. I am 10 years old **y vivo en Inglaterra** with my mother and my father. **Tengo el pelo castaño**, short and curly. **Soy bastante** tall and handsome. I have **azules y grandes** eyes. **Me llevo bien con mi padre** because he is intelligent **y simpático**. He has brown hair and **lleva gafas, pero no lleva** neither beard **ni bigote. También tengo un perro.** It is a little slim **y muy perezoso**.

b. Write the English words in Spanish to complete the translation

I live in Valencia, tengo catorce años **and I have two brothers. In general,** me llevo bien con mi hermano Luis **because he is kind.** Luis es bajo **and wears glasses. He has green eyes and** es pelirrojo. **I don't get on well with** mi hermano Pedro porque es **a little shy** y terco. Pedro **has** el pelo negro, **long and straight. He doesn't have** pecas. **Also, I have a white rabbit,** es un poco gordo, **but** también muy **funny and active.**

14. Rock Climbing

Starting from the bottom, pick one chunk from each row to translate the sentences below.

es muy inteligente.	largo y liso.	y es guapa.	y tengo los ojos azules.	tiene pecas.
Soy pelirroja	Tiene el pelo corto y ondulado	Lleva gafas y	y el pelo castaño	Es bastante delgado y
alta ni baja.	cuatro años.	Tengo los ojos marrones	es morena.	soy un poco tímida.
Tengo trece años.	Por lo general,	Mi perro tiene	Mi abuela no es ni	Mi amiga Ana
a.	b.	c.	d.	e.

a. I am 13 years old. I have brown eyes and brown, long and straight hair.

_____

b. In general, I am a little shy. I am a redhead and I have blue eyes.

_____

c. My dog is 4 years old. He is quite slim and he is very intelligent.

_____

d. My grandmother is neither tall nor short. She wears glasses and has freckles.

_____

e. My friend Ana is a brunette. She has short, wavy hair and she is beautiful.

_____

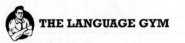

15. Staircase Translation

Starting from the top, translate each chunk into Spanish. Write the sentences in the grid below.

a.	I have green eyes	and wear glasses.				
b.	My father	is quite tall	and has a moustache.			
c.	I get on well	with my sister	because she is kind.	She is a little short.		
d.	I have	black, long hair	and I have brown eyes.	I am very active	but also stubborn.	
e.	What colour	are your eyes?	I have green	big eyes.	I am a redhead	and I have freckles.

Answers / Respuestas

a.	
b.	
c.	
d.	
e.	

Challenge / Desafío

Can you create 2 more sentences using the words in the staircase grid above?

☆	
☆	

THE LANGUAGE GYM

16. Guided Writing – *Family / Personality / Eyes & Hair*

A. Use the information below to complete the gaps in the Spanish paragraph.

Name: Sara   **Age**: 10   **City**: Granada

Personality: kind but lazy   **Family**: 4 people (mum/dad/sister/me).

Gets on well with grandmother, who is 70

Eyes: blue and small   **Hair**: red, long, straight. Freckles.

Extra: black dog called Rico

Me llamo Sara. Tengo _____ años y vivo en Granada. Por lo general soy _____ pero perezosa. En mi familia _____ cuatro personas: mi madre, mi _____, mi hermana y yo. Me _____ bien con mi abuela. Ella _____ setenta años. Tengo los _____ azules y pequeños. Soy pelirroja, tengo el _____ largo y liso. Tengo _____. Tengo un _____ negro que se _____ Rico.

B. Now use the information below to write a paragraph in Spanish. Can you add anything else?

Name: Pedro   **Age**: 12 **City**: Barcelona

Personality: active and funny   **Family**: 4 people (mum/dad/brother/me).

Doesn't get on well with cousin Ana, who is 15

Eyes: green and big **Hair**: brown, short, wavy. No glasses.

Extra: white cat called Lola

_____

_____

_____

_____

THE LANGUAGE GYM

ORAL PING PONG

UNIT 3 – LOS OJOS Y EL PELO

ENGLISH 1	SPANISH 1	ENGLISH 2	SPANISH 2
I have green eyes.	(Yo) Tengo los ojos verdes.	I have brown eyes.	
I have brown hair.	(Yo) Tengo el pelo castaño.	My mother has big blue eyes.	
My father has short hair.	Mi padre tiene el pelo corto.	I don't wear glasses.	
My sister has blond, long hair.	Mi hermana tiene el pelo rubio y largo.	What colour are your eyes?	
He is not neither tall nor short.	Él no es ni alto ni bajo.	She is short and a redhead.	
She wears glasses and has freckles.	Ella lleva gafas y tiene pecas.	He has short, curly hair.	
My brother is a redhead and handsome.	Mi hermano es pelirrojo y guapo.	My grandfather has a beard and moustache.	
My dog is a little fat.	Mi perro es un poco gordo.	My cat is neither fat nor slim.	

INSTRUCTIONS - You are **PARTNER A**. Work in pairs. Each of you has two sets of sentences - one set has already been translated for you. You will ask your partner to translate these. The other set of sentences have not been translated. Your partner will ask you to translate these.

HOW TO PLAY - Partner A starts by reading out his/her/their first sentence <u>in English</u>. Partner B must translate. Partner A must check the answer and award the following points: **3 points** = perfect, **2 points** = 1 mistake, **1 point** = mistakes but the verb is accurate. If they cannot translate correctly, Partner A will read out the sentence so that Partner B can learn what the correct translation is. Then Partner B reads out his/her/their first sentence, and so on.

OBJECTIVE - Try to win more points than your partner by translating correctly as many sentences as possible.

ENGLISH 1	SPANISH 1	ENGLISH 2	SPANISH 2
I have green eyes.		I have brown eyes.	(Yo) Tengo los ojos marrones.
I have brown hair.		My mother has big blue eyes.	Mi madre tiene los ojos azules y grandes.
My father has short hair.		I don't wear glasses.	(Yo) No llevo gafas.
My sister has blond, long hair.		What colour are your eyes?	¿De qué color son tus ojos?
He is neither tall nor short.		She is short and a redhead.	Ella es baja y pelirroja.
She wears glasses and has freckles.		He has short, curly hair.	Él tiene el pelo corto y rizado.
My brother is a redhead and handsome.		My grandfather has a beard and moustache.	Mi abuelo lleva barba y bigote.
My dog is a little fat.		My cat is neither fat nor slim.	Mi gato no es ni gordo ni delgado.

INSTRUCTIONS - You are **PARTNER B.** Work in pairs. Each of you has two sets of sentences - one set has already been translated for you. You will ask your partner to translate these. The other set of sentences have not been translated. Your partner will ask you to translate these.

HOW TO PLAY - Partner A starts by reading out his/her/their first sentence <u>in English</u>. Partner B must translate. Partner A must check the answer and award the following points: **3 points** = perfect, **2 points** = 1 mistake, **1 point** = mistakes but the verb is accurate. If they cannot translate correctly, Partner A will read out the sentence so that Partner B can learn what the correct translation is. Then Partner B reads out his/her/their first sentence, and so on.

OBJECTIVE - Try to win more points than your partner by translating correctly as many sentences as possible.

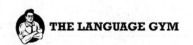 **THE LANGUAGE GYM**

UNIT 4

¿QUÉ ROPA LLEVAS?

In this unit you will learn how to say in Spanish:

- ✓ What clothes you/others wear
- ✓ Time frames
- ✓ Verbs – *llevar* + clothes / *hace* + weather

You will revisit:

- ★ Weather expressions
- ★ Adjectival agreement

¿Qué ropa llevas en el colegio?

En el colegio llevo una camisa blanca, una corbata roja y un jersey gris.

UNIT 4. I can describe what I wear

¿Qué ropa llevas? *What clothes do you wear?*

En casa *At home* **En el colegio** *At school* **En el polideportivo** *At the sports centre*	**llevo** *I wear*	una bufanda una camisa una camiseta una chaqueta una corbata una falda una gorra	*a scarf* *a shirt* *a t-shirt* *a jacket* *a tie* *a skirt* *a baseball cap*	**amarilla** **blanca** **cómoda** ***naranja** **negra** **roja** ***rosa** **verde** ***violeta**	*yellow* *white* *comfortable* *orange* *black* *red* *pink* *green* *purple*

Cuando hace buen tiempo, *When the weather is good,* **Cuando hace mal tiempo,** *When the weather is bad,*	**mi amigo Paco lleva** *my friend Paco wears*	un abrigo un chándal un jersey un uniforme un vestido	*a coat* *a tracksuit* *a jumper* *a uniform* *a dress*	**amarillo** **azul** **blanco** **gris** ***naranja** **negro** **rojo** ***rosa** **verde** ***violeta**	*blue* *grey* *green*

**uniforme	*uniform*

Cuando hace calor, *When it is hot,* **Cuando hace frío,** *When it is cold,* **Nunca** *never* **Siempre** *always*	**mi amiga María lleva** *my friend María wears*	pantalones pantalones cortos *shorts* vaqueros zapatillas de deporte *trainers* zapatos	*trousers* *jeans* *shoes*	**bonitos/as** **baratos/as** **caros/as** **elegantes** **grises** **marrones** **negros/as** **verdes**	*pretty* *cheap* *expensive* *elegant* *brown*

Author's notes:

*When saying that things are orange/pink/purple, these are all invariable, which means that do not change their ending (unlike the rest of the adjectives here). E.g. "Llevo un abrigo naranja" *[I wear an orange coat]*. Fun fact: Many of these invariable colours originally come from either flowers or fruits!

**In Spanish, we would say "En el colegio llevo uniforme" *[at school I wear uniform]*. You would only say "un" uniforme if you were describing its colour/appearance, e.g. "un uniforme azul" *[a blue uniform]*

 **THE LANGUAGE GYM**

1. Listen and complete with the missing syllable

a. cami __ __ ta   f. a__ __ __ go

b. cor __ __ ta   g. __ __ __ queta

c. __ __ __ talones   h. go __ __ __

d. va__ __ __ ros   i. __ __ __ da

e. __ __ __ __ dal   j. __ __ fanda

pan	se	cha	que	bri
ba	chán	rra	bu	fal

2. Faulty Echo

e.g. Llevo una corbata <u>amarilla</u>.

a. Mi amiga Sara lleva un abrigo.

b. No llevo un jersey azul.

c. Mi padre lleva unos vaqueros.

d. Unas zapatillas de deporte blancas.

e. Unos pantalones cortos y rojos.

f. Mi amigo Rafa no lleva chándal.

g. Llevo una gorra violeta y rosa.

h. Carmen lleva un vestido verde.

3. Break the flow: Draw a line between words

a. Encasallevounchándalyunacamisetabonita.

b. Enelcolegiollevoununiformeblancoynegro.

c. Enelpolideportivollevounospantalonescortos.

d. Mihermanoencasanollevaunosvaqueroscaros.

e. MiamigaLolaenelcolegiollevaunafaldacómoda.

f. ¿Quéropallevas?Llevounvestidovioletayrojo.

g. Enelpolideportivonollevasniabrigonibufanda.

4. Listen and tick the correct answer

		1	2	3
a.	Cuando hace buen tiempo, llevo	una gorra blanca	una gorra rosa	una gorra negra
b.	Cuando hace mal tiempo, lleva	un abrigo rojo	un abrigo azul	un abrigo amarillo
c.	Cuando hace calor,	lleva un vestido	llevo un vestido	llevas un vestido
d.	Cuando hace frío,	llevo una bufanda	llevas una bufanda	lleva una bufanda
e.	En el polideportivo	no llevas falda	no llevo falda	no lleva falda

5. Spot the Intruder

Identify and underline the word that the speaker is NOT saying

e.g. Cuando hace mal tiempo, <u>hay</u> llevo un abrigo.

a. ¿Qué ropa llevas? Normalmente llevo unos vaqueros, pero y una camiseta.

b. Cuando hace calor, a veces llevo pantalones cortos o un vestido bonito.

c. En el colegio, llevo uniforme. Siempre llevo una camisa gris y pantalones negros.

d. Cuando hace mal tiempo, mi abuela siempre lleva una bufanda amarilla.

e. Mi madre cuando en casa no lleva ni un vestido elegante, ni un chándal.

f. Normalmente, cuando hace frío, llevo una chaqueta violeta muy cara.

g. Mi abuelo nunca lleva vaqueros marrones y con zapatillas de deporte negras.

6. Listen and tick: True or False?

		True	False
a.	I always wear a jacket.		
b.	My mum wears a pretty skirt.		
c.	My brother wears shorts.		
d.	I never wear expensive trainers.		
e.	My friend wears a dress.		
f.	I like my black jumper.		
g.	Do you wear a red tie?		
h.	My father wears a tie.		
i.	María wears cheap shoes.		

7. Fill in the grid in English

When it's…	Clothes	Colour
a. good weather ☀	👕	🎨
b.		
c.		white
d.	trousers	
e.		
f.		
g.		yellow
h. hot		
i.	trousers	

8. Narrow Listening. Gapped translation

a. I _____ in Barcelona. When it is _____, I wear _____ and a red _____. Also, I wear _____ at home. I like it a lot because it is _____. I get on well with my _____ Luis, but he is _____. Usually, at the _____, Luis wears a blue _____ and _____.

b. I am ____ years old and I live in the north of _____. When it is _____ weather, I normally wear _____. However, if it is _____ weather, I normally wear_____ and _____. At school I always wear an elegant _____ shirt, black _____ and a red _____. I detest _____ a tie, but in my opinion, it is _____.

9. Catch it, Swap it

Listen, correct the Spanish, then translate the new word/phrase

e.g. *En casa normalmente llevo una ~~bufanda~~ camiseta.*

e.g. *t-shirt*

a. En el polideportivo mi amigo lleva vaqueros bonitos.

a.

b. Cuando hace calor, mi madre lleva una chaqueta.

b.

c. Cuando hace mal tiempo, llevo pantalones cortos.

c.

d. Mi hermano mayor lleva una camisa bonita amarilla.

d.

e. ¿Qué ropa llevas en el colegio? Llevo un chándal.

e.

f. Normalmente Ronaldo no lleva una corbata roja.

f.

g. Me gusta mi vestido azul, pero no me gusta mi falda.

g.

10. Sentence Bingo

Write 4 of the sentences into the grid. You will hear sentences in Spanish in a RANDOM ORDER. Tick all 4 of your sentences to win bingo.

1. Llevo un chándal blanco muy caro.
2. Cuando hace frío, no llevo camiseta.
3. Me gusta mi bufanda porque es bonita.
4. Me encanta mi vestido, pero es caro.
5. En casa mi hermana lleva pantalones cortos.
6. No llevo ni vaqueros, ni pantalones cómodos.
7. Mi abuelo lleva un abrigo gris elegante.
8. En el colegio llevo una corbata rosa.
9. ¿Qué ropa llevas en el polideportivo?
10. Mi amigo Felipe lleva un uniforme azul.

11. Listening Slalom

Listen and pick the equivalent English words from each column

e.g. *Cuando hace calor, llevo una camiseta blanca y pantalones cortos. – When it is hot, I wear a white t-shirt and shorts.*

You could colour in the boxes for each sentence in a different colour and read out the sentence in Spanish

e.g.	**When it is hot**	my friend Teresa	my mother wears	a skirt.
a.	At the sports centre	sometimes	never wears	and a scarf.
b.	At home	my black jacket	**white t-shirt**	comfortable trainers.
c.	When the weather is bad,	neither a shirt,	a tracksuit and	at school.
d.	I don't like	**I wear a**	always wears a coat	a green dress.
e.	When it is cold,	my grandfather	but it is	**and shorts.**
f.	I don't wear	I normally wear	nor a tie	very elegant.

Unit 4. I can say what myself and others wear: READING

1. Sylla-Moles

Read and put the syllables in the cells in the correct order

gros	va	Lle	ros	vo	ne	que

a. *I wear black jeans:* L_____ v_____ n_____.

Mi	da	lle	fan	u	pa	bu	na	dre	va

b. *My father wears a scarf:*
M_ p_____ ll_____ u__ b_____.

el	vo	En	blan	por	dal	él	lle	de	chán	po	co	va	ti	li	un

c. *At the sports centre he wears a white tracksuit:*
E_ e_ p_____ é_ l_____ u_ c_____ b_____.

na	Cuan	po	lle	buen	do	go	tiem	ha	rra	u	vo	ce

d. *When the weather is good, I wear a baseball cap:* C_____ h____
b____ t_____, l_____ u___ g_____.

a	sey	ce	lle	ha	la	jer	mi	Cuan	gris	frí	va	bue	do	un	o

e. *When it's cold, my grandmother wears a grey jumper:*
C_____ h___ f____, m_ a_____ l____ u_ j_____ g___.

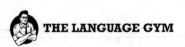

2. Read the paragraphs and complete the tasks below

1. ¿Qué llevas en el colegio? Normalmente en mi colegio llevo una camisa blanca, un jersey azul, una corbata gris y pantalones negros elegantes. Tengo el pelo corto, rubio y liso. No tengo ni pecas, ni llevo gafas. Me llevo muy bien con mi amigo Francisco porque es muy hablador. Él tiene trece años. Siempre, cuando hace buen tiempo, lleva pantalones cortos, una camiseta y una gorra. **(Alonso)**

2. Tengo catorce años y soy muy activa. Tengo el pelo negro y rizado y soy bastante guapa. En el polideportivo, normalmente llevo un chándal bonito y zapatillas de deporte blancas. Cuando hace frío, a veces, llevo una chaqueta amarilla y una bufanda azul muy cómoda. No me llevo muy bien con mi padre. Él tiene cuarenta y dos años y es un poco severo. Tiene barba y bigote y siempre lleva una camisa y una corbata. **(Camila)**

A. For each sentence tick one box	True	False
a. Alonso wears a white shirt at school.		
b. He wears a green tie.		
c. He has freckles and glasses.		
d. His friend Francisco usually wears jeans.		
e. Camila has black curly hair.		
f. She gets on well with her father.		
g. She wears a red jacket.		
h. Normally she doesn't wear a tracksuit.		
i. Her dad always wears a shirt and tie.		

B. Find the Spanish for:

a. When the weather is good…
b. A blue scarf
c. Blond, straight hair
d. In the sports centre
e. Grey tie and black trousers
f. I am quite beautiful.
g. Has a beard and a moustache
h. Because he is very talkative
i. In my school I wear…
j. He is a little strict.
k. A blue jumper
l. He always wears…

C. Read the sentences again and decide if they refer to Alonso or Camila

a. Gets on well with my friend.
b. Sometimes wears a yellow jacket.
c. Father is 42 years old.
d. Has short, blond and straight hair.
e. Normally wears a pretty tracksuit.
f. Wears a t-shirt and baseball cap.
g. Wears elegant black trousers.
h. Has white trainers.

 **THE LANGUAGE GYM**

3. Read, match and find the Spanish

A. Match these sentences to the pictures above

a. Normalmente llevo una gorra amarilla.

b. Me gusta mi uniforme verde porque es cómodo.

c. Mi abuelo siempre lleva un abrigo gris.

d. Cuando hace calor, llevo una camiseta azul.

e. En el colegio llevo una corbata roja.

f. Cuando hace frío, a veces, llevo vaqueros.

g. Mi hermana Emilia lleva una falda negra.

h. Me encanta mi chaqueta porque es muy bonita.

i. En el polideportivo llevo zapatillas de deporte.

j. En casa mi padre nunca lleva ni camisa ni bufanda.

B. Read the sentences in task A again and find the Spanish for:

a. A grey coat
b. At school I wear
c. It's very pretty
d. I love my jacket
e. When it is hot
f. He never wears
g. It is comfortable
h. Wears a black skirt
i. At home my father
j. He always wears
k. I wear jeans
l. Neither shirt nor scarf
m. A yellow baseball cap

 **THE LANGUAGE GYM**

4. Tiles Match. Pair them up

f. Me gusta mi corbata.	2. I don't wear a shirt.

d. Zapatos azules	b. Cuando hace frío.	5. She wears jeans.	1. Blue shoes	c. Lleva vaqueros.
3. I like my tie.	a. Lleva una camiseta.	e. No llevo una camisa.	4. When it is cold	6. He wears a t-shirt.

5. Tick or Cross

A. Read the text. Tick the box if you find the words in the text, cross it if you do not find them.

Me llamo Sofía, vivo en Santander y tengo quince años. Por lo general soy amable, pero un poco perezosa. Tengo el pelo castaño y largo. En casa normalmente llevo una camiseta, pero cuando hace frío llevo un jersey. Me gusta mi uniforme porque es cómodo. En el colegio llevo una falda gris, una camisa blanca, zapatos negros, pero no llevo corbata. Me llevo bien con mi amigo Tomás. Él tiene dieciséis años y es bastante activo y simpático. En el polideportivo lleva chándal, pero cuando hace calor, siempre lleva pantalones cortos.

		✓	✗
a.	Soy amable		
b.	No me gusta mi corbata		
c.	Cuando hace calor		
d.	Lleva una bufanda rosa		
e.	Black shoes		
f.	I like my uniform		
g.	Tomás is 17 years old		
h.	He never wears shorts		
i.	Sofía has brown hair		

B. Find the Spanish in the texts above

a. At home, I normally wear… _____

b. He is quite active and nice. _____

c. But when it is cold _____

d. Because it is comfortable _____

e. A grey skirt, a white shirt _____

THE LANGUAGE GYM

6. Language Detective

★ ¿Qué ropa llevas? Por lo general <u>en casa</u> llevo un chándal cómodo o pantalones cortos. En el colegio llevo una camisa blanca, un jersey verde y zapatos negros. No me gustan mis zapatos, pero son baratos. Cuando hace frío, llevo un abrigo azul. **Raúl**

★ No soy muy activa. Tengo el pelo corto y rizado. En casa, a veces, llevo una falda amarilla o un vestido marrón, pero en el colegio siempre llevo uniforme. No me gusta mi uniforme porque no es cómodo, pero es elegante. **Marta**

★ Vivo en un pueblo en el sur de España con mi padre, aquí hace mucho calor. Por lo general, mi padre lleva una camiseta y una gorra. Cuando hace mal tiempo, a veces, lleva una chaqueta negra y pantalones grises. Es bastante delgado y lleva bigote. **José**

★ ¿Qué ropa llevas cuando hace mal tiempo? Normalmente llevo ropa cómoda. Me gusta mi jersey verde y mi vestido violeta. Soy un poco baja y no llevo ni pantalones ni vaqueros. En el polideportivo, a veces, llevo chándal o pantalones cortos. **Beatriz**

A. Find someone who...

a. ...wears grey trousers.

b. ...has short, curly hair.

c. ...doesn't like his shoes.

d. ...has a purple dress.

e. ...wears a brown dress.

f. ...lives in the South of Spain.

g. ...doesn't like uniform.

h. ...normally wears comfy clothes.

i. ...wears a black jacket.

j. ...dad has a baseball cap.

k. ......wears shorts at home.

l. ...wears a tracksuit at the sports centre.

B. Find and underline the Spanish in Raúl's text. One box is not mentioned!

In the house	Or shorts	A white shirt
At school	What clothes do you wear?	When it is cold
I don't like	But they are cheap	A green jumper
Comfortable tracksuit	But at school	And black shoes
A blue coat	I wear	In general,

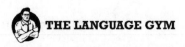

7. Square This!

Reorder the sentences in the square to translate the paragraph below. Number them 1 to 15.

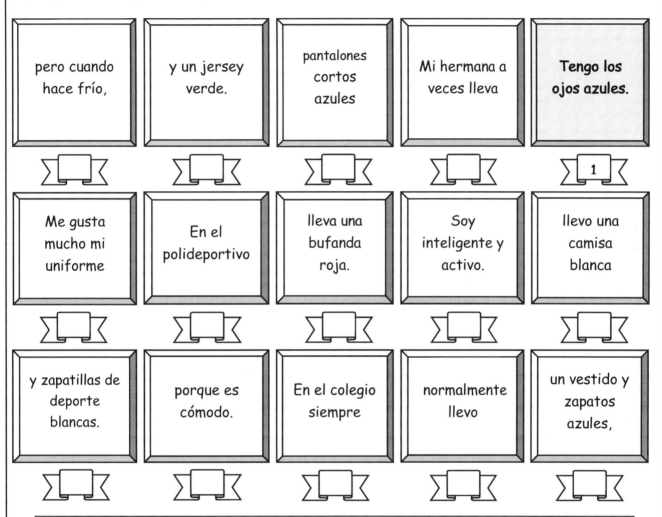

pero cuando hace frío,	y un jersey verde.	pantalones cortos azules	Mi hermana a veces lleva	Tengo los ojos azules.
				1
Me gusta mucho mi uniforme	En el polideportivo	lleva una bufanda roja.	Soy inteligente y activo.	llevo una camisa blanca
y zapatillas de deporte blancas.	porque es cómodo.	En el colegio siempre	normalmente llevo	un vestido y zapatos azules,

I have blue eyes. I am intelligent and active. At the sports centre, I normally wear blue shorts and white trainers. At school I always wear a white shirt and a green jumper. I really like my uniform because it is comfortable. My sister sometimes wears a dress and blue shoes, but when it is cold, she wears a red scarf.

THE LANGUAGE GYM

8. Crack-it Transl-it

1. es cómodo	2. En el colegio	3. En casa	4. Me gusta	5. vestido
6. mi amigo	7. mi padre	8. normalmente	9. un uniforme	10. llevo
11. ni falda, ni	12. En el polideportivo	13. pantalones cortos	14. ni zapatos negros, ni	15. porque
16. pero no	17. una falda azul	18. Mi hermana no	19. y una chaqueta roja	20. lleva
21. Cuando hace frío,	22. y vaqueros azules.	23. zapatillas de deporte	24. una camiseta	25. y elegante
26. Cuando hace calor,	27. muy bonito:	28. pantalones y	29. porque son cómodos	30. jersey

C: Crack-it: crack the code and write the sentence in Spanish

T: Transl-it: translate the sentence into English

a. 3-10-24-22-21-7-20-28-30.

C: _____

T: _____

b. 18-20-11-5-26-20-13-29

C: _____

T: _____

c. 12-8-6-20-23-16-20-14-30

C: _____

T: _____

d: 2-10-9-27-17-19-4-15-1-25

C: _____

T: _____

THE LANGUAGE GYM

Unit 4. I can say what I and others wear: WRITING

1. Spelling

a. U__ __ b__ __ __ __ __ __ __ __ r__ __ __   *A red scarf*

b. L__ __ __ __ v__ __ __ __ __ __ __ __.   *I wear jeans.*

c. L__ __ __ __ p__ __ __ __ __ __ __ __ __ __.   *He wears trousers.*

d. ¿Qu__ r__ __ __ l__ __ __ __ __?   *What clothes do you wear?*

e. Te __ __ __ z__ __ __ __ __ __ __ n__ __ __ __ __. *I have black shoes.*

2. Anagrams

a. nE saca volle nu sejrey   *At home I wear a jumper.*

__ __ __ __ __ __ __ __ __ __ __ __ __ __ __ __ __ __ __.

b. iM marhena vaell anu rogra lauz   *My sister wears a blue baseball cap.*

__ __.

c. vaLle nepanlotas sirges   *He wears grey trousers.*

__ __ __ __ __ __ __ __ __ __ __ __ __ __ __ __ __ __ __ __.

3. Gapped Translation

a. Cuando hace frío, normalmente, mi padre lleva una chaqueta negra.

When it is _____, normally, my father_____ a black _____.

b. En el colegio llevo uniforme gris. No me gusta, pero es elegante.

At _____ I wear a _____ uniform. I don't like it, but it's _____.

c. A veces, mi amiga Paloma lleva una falda y una camisa cómoda.

_____, my friend Paloma wears a_____ and a comfy _____.

4. No Vowels

a. When the weather is good, I wear a baseball cup.

C_ _nd_ h_c_ b_ _ _n t_ _mp_ _, ll_v_ _n g_rr_ _.

b. I don't wear neither a tracksuit, nor shorts.

N_ ll_v_ n_ ch_nd_l, n_ p_nt_l_n s c_rt_s.

c. At home, my mother sometimes wears a dress.

E_ c_s_ _, m_ m_dr_ _ _ v_c_s ll_v_ _n v_st_d_ _.

5. No Consonants

a. At school I wear a green tie.

E_ e_ _o_e_io _ _e_o u_a _o_ _a_a _e_ _e.

b. When it's hot, my uncle wears shorts.

_ua_ _o _a_e _a_o_, _i _ío _ _e_a _a_ _a_o_e_ _o_ to_.

c. My friend José normally wears a scarf.

_i a_i_o _o_é _o_ _a_ _e_ _e _ _e_a u_a _u_a_ _a.

6. Split Sentences

1. Cuando hace	a. lleva una falda.
2. En casa llevo	b. porque es elegante.
3. A veces mi hermana	c. chaqueta negra.
4. Me gusta mi uniforme	d. frío, llevo una bufanda.
5. No me gusta mi camisa,	e. en el polideportivo?
6. Mi abuelo lleva una	f. ropa cómoda.
7. ¿Qué ropa llevas	g. pero es cara.

1	
2	
3	
4	
5	
6	
7	

THE LANGUAGE GYM

7. Fill in the gaps

a. Hola, _____ doce años y vivo en el norte de _____. Soy bastante _____ y

llevo gafas. En casa normalmente llevo _____ cómoda, una camiseta _____ o

un _____. Cuando hace frío, llevo ____ jersey. Me gusta mucho, pero no es

_____. Y tú, ¿Qué ropa _____?

un	tengo	ropa	chándal	llevas	España	blanca	elegante	alto

b. ¿Qué ropa te gusta llevar? Por lo _____, llevo vaqueros _____ y

zapatillas de _____. No _____ muy activo. En casa no me gusta _____ ni

gorras, ____ pantalones cortos. Me llevo _____ con mi hermano Luis. En el colegio Luis

lleva una _____ blanca, pantalones grises y _____ corbata amarilla.

deporte	ni	bien	camisa	general	soy	llevar	azules	una

8. Sentence Puzzle

Put the Spanish words in the correct order

a. hace un tiempo mal llevo jersey Cuando
When it's bad weather, I wear a jumper.

b. ¿ropa Qué llevas? llevo falda una vaqueros negra o Normalmente azules
What clothes do you wear? Normally I wear a black skirt or blue jeans.

c. amiga no Jimena Mi lleva ni chándal de deporte ni zapatillas
My friend Jimena doesn't wear neither tracksuit nor trainers.

d. es madre alta Mi lleva veces negros y rojos zapatos pantalones A
My mother is tall. Sometimes she wears black trousers and red shoes.

e. once años Tengo general lo llevo Por camiseta una y pantalones blanca y cortos
I am 11 years old. I usually wear a white t-shirt and shorts.

THE LANGUAGE GYM

9. Faulty Translation: write the correct English version

e.g. Mi _falda_ es roja. ⟹ My _shirt_ is red. | e.g. My skirt is red.

a. Mi padre lleva vaqueros. ⟹ My father wears shorts. | a.

b. Llevo uniforme elegante. ⟹ I wear a comfy uniform. | b.

c. Me gusta mi chaqueta rosa. ⟹ I like my pink shoes. | c.

d. En casa llevo pantalones. ⟹ At school I wear trousers. | d.

e. ¿Qué llevas en el colegio? ⟹ What do you wear at home? | e.

10. Phrase-level Translation. How would you write it in Spanish?

a. I wear trainers. _____

b. I don't wear a red jumper. _____

c. My grandfather wears a blue coat. _____

d. My uniform is comfortable and elegant. _____

e. What do you wear at school? _____

f. I don't like my black shoes. _____

11. Sentence Jumble: unscramble the sentence

a. gusta bufanda mi amarilla Me es porque cómoda

_____

b. amiga Sara lleva veces a Mi cortos pantalones

_____

c. No gusta mi gris chaqueta es porque me barata

_____

d. casa Normalmente en no ni falda llevo vestido ni

_____

12. Guided Translation

a. ¿Q_____ r_____ l_____ e__ e__ p_____?

What clothes do you wear at the sports centre?

b. N_____ l_____ z_____ a_____ y p_____ b_____.

I normally wear blue shoes and white trousers.

c. M____ p_____ n___ l_____ z_____ d__ d_____.

My father doesn't wear trainers.

d. E__ c_____ a v_____ l_____ u__ v_____ a_____.

At home sometimes I wear a yellow dress.

e. ¿C_____ a_____ t_____ t__ h_____? T_____ d___ a___.

How old is your brother? He is two years old.

13. Tangled Translation

a. Write the Spanish words in English to complete the translation

I am 10 years old. **Soy bastante bajo y soy** active and funny. **Normalmente,** at home I wear **ropa cómoda, por ejemplo** a t-shirt and shorts. **En el colegio llevo** a white shirt, **pantalones negros y una** red tie. **No me gusta mi uniforme,** but it is comfortable. At the sports centre **a veces llevo un chándal,** but I **nunca** wear **ni jersey,** nor jeans.

b. Write the English words in Spanish to complete the translation

My friend se llama Ana y tiene doce años. **She has blue eyes** y tiene el pelo largo y rizado. Por lo general, **she wears a purple dress** y una bufanda rosa. **At school** Ana lleva un uniforme muy elegante: **a grey skirt and a green jumper.** Cuando hace frío, **she wears a coat,** pero no es muy cómodo. A veces, **when the weather is good,** Ana lleva **a baseball cap.** En casa normalmente lleva **cheap clothes.** Y tú, ¿Qué ropa **do you wear?**

THE LANGUAGE GYM

14. Rock Climbing

Starting from the bottom, pick one chunk from each row to translate the sentences below.

Me gusta mi uniforme.	y bonita.	y zapatos cómodos.	jersey azul.	camiseta blanca.
gorra violeta	cortos y una	llevo un	pero es cara	ni una bufanda.
normalmente	ni un abrigo,	mi chaqueta verde,	lleva pantalones	lleva una
no llevo	siempre	mi amigo Carlos	nunca llevo	en casa
Cuando hace calor,	En el colegio	Cuando hace mal tiempo,	Mi prima Sofía	Por lo general,
a.	b.	c.	d.	e.

a. When it's hot, my friend Carlos wears shorts and a white t-shirt.

_____

b. At school I never wear neither a coat nor a scarf. I like my uniform.

_____

c. When the weather is bad, at home I normally wear a blue jumper.

_____

d. My cousin Sofía always wears a purple baseball cap and comfortable shoes.

_____

e. Usually, I don't wear my green jacket, but is expensive and pretty.

_____

THE LANGUAGE GYM

15. Staircase Translation

Starting from the top, translate each chunk into Spanish.

Write the sentences in the grid below.

a.	My mum wears	black trousers.				
b.	At the sports centre	I always wear	trainers.			
c.	I don't like	my uniform,	but it is	elegant.		
d.	When it is cold	Pepe sometimes	wears a red jacket	and a white	scarf.	
e.	I never wear	shorts	because they are not	comfy.	At home	I wear a tracksuit.

Answers / Respuestas

a.	
b.	
c.	
d.	
e.	

🏆 Challenge / Desafío

Can you create 2 more sentences using the words in the staircase grid above?

☆	
☆	

THE LANGUAGE GYM

UNIT 4

¿QUÉ ROPA LLEVAS?

SALIDA	**1** At home I wear a tracksuit	**2** I wear a green shirt	**3** My friend wears a jacket	**4** I wear black trousers	**5** What clothes do you wear?	**6** At school I wear a uniform	**7** A pink baseball cap
15 I never wear a coat	**14** When it is hot	**13** He wears trainers	**12** She wears a grey skirt	**11** When the weather is bad	**10** When it is cold	**9** I don't wear a blue tie	**8** A red scarf
16 I always wear a t-shirt	**17** A purple shirt	**18** I wear brown shorts	**19** My mum wears an elegant dress	**20** A yellow jumper	**21** My friend wears jeans	**22** When the weather is good	**23** Pretty shoes
LLEGADA	**30** A comfy jacket	**29** Pedro doesn't wear shoes	**28** Paco wears a baseball cap	**27** At the sports centre I wear	**26** I don't wear shorts	**25** Black jeans	**24** A blue tracksuit

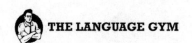

87

No Snakes No Ladders

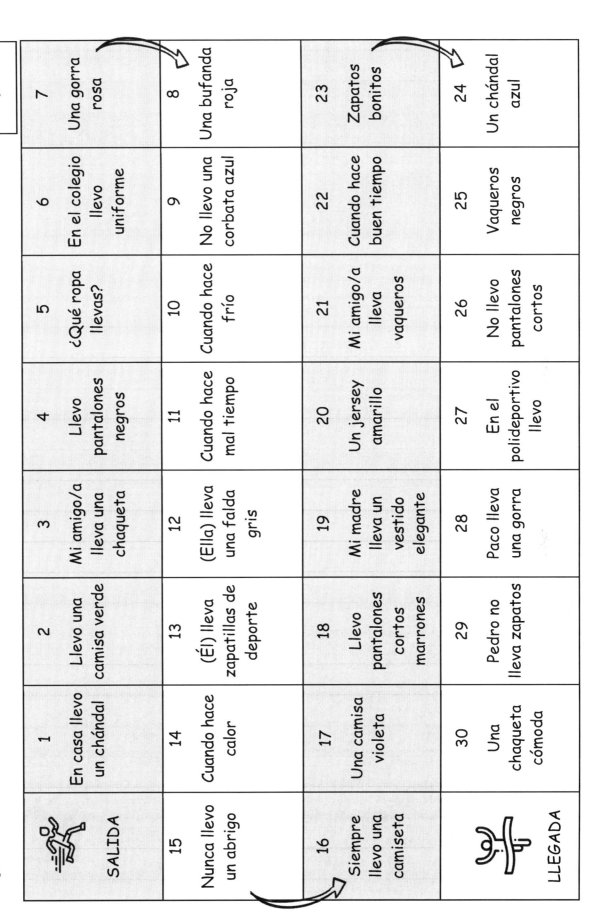

SALIDA	2 Llevo una camisa verde	3 Mi amigo/a lleva una chaqueta	4 Llevo pantalones negros	5 ¿Qué ropa llevas?	6 En el colegio llevo uniforme	7 Una gorra rosa
1 En casa llevo un chándal	13 (Él) lleva zapatillas de deporte	12 (Ella) lleva una falda gris	11 Cuando hace mal tiempo	10 Cuando hace frío	9 No llevo una corbata azul	8 Una bufanda roja
14 Cuando hace calor	18 Llevo pantalones cortos marrones	19 Mi madre lleva un vestido elegante	20 Un jersey amarillo	21 Mi amigo/a lleva vaqueros	22 Cuando hace buen tiempo	23 Zapatos bonitos
17 Una camisa violeta	29 Pedro no lleva zapatos	28 Paco lleva una gorra	27 En el polideportivo llevo	26 No llevo pantalones cortos	25 Vaqueros negros	24 Un chándal azul
15 Nunca llevo un abrigo	30 Una chaqueta cómoda					
16 Siempre llevo una camiseta	**LLEGADA**					

THE LANGUAGE GYM

UNIT 5

¿CÓMO ES TU RUTINA DIARIA?

In this unit you will learn how to say in Spanish:

- ✓ What your daily routine is like
- ✓ Time frames/variety of verbs
- ✓ How you get to school

You will revisit:

- ★ Connectives
- ★ Time markers

¿Cómo es tu rutina diaria?

Entre semana normalmente me despierto a las siete y voy al colegio.

THE LANGUAGE GYM

UNIT 5. I can describe my daily routine

¿Cómo es tu rutina diaria? *What's your daily routine?*

Entre semana *During the week* **Por la mañana** *In the morning* **Primero** *First* **Todos los días** *Every day*	**yo* me despierto**	*I wake up*		
	me levanto	*I get up*		
	me ducho	*I have a shower*	**a las seis**	*at six*
	me lavo los dientes	*I brush my teeth*	**a las siete**	*at seven*
	me peino	*I brush my hair*	**a las ocho**	*at eight*
	me lavo	*I wash*	**a las nueve**	*at nine*
	desayuno	*I have breakfast*	**temprano**	*early*
	me pongo el uniforme	*I put on my uniform*	**tarde**	*late*
	me visto	*I get dressed*		
	me relajo	*I relax*		
	me acuesto	*I go to bed*		
	voy al colegio *I go to school*		**a pie**	*walking*
			en autobús	*by bus*
	voy al polideportivo *I go to the sports centre*		**en coche**	*by car*
			en tren	*by train*

y *and* **luego** *after*	**además** *moreover*	**sin embargo** *however*	**pero** *but*

Por la tarde *In the afternoon/ in the evening* **Por la noche** *At night*	**almuerzo**	*I have lunch*
	ceno	*I have dinner/tea*
	hago los deberes	*I do homework*
	juego con mis amigos	*I play with my friends*
	llego a casa	*I arrive home*
	leo un libro	*I read a book*
	veo la tele	*I watch TV*

*Author's note. Be mindful that in Spanish '**me**' can mean 'myself'. It is used in reflexive verbs: verbs where the actions you *do to yourself*. E.g. **me** ducho = *I shower 'myself'.* The pronoun '**yo**' is also optional for reflexives. E.g. **yo me ducho** and **me ducho**, both mean *I shower*.

 **THE LANGUAGE GYM**

Unit 5. I can describe my daily routine: LISTENING

1. Listen and complete with the missing syllable

a. Desa_ _ no

b. me _ _ _ no

c. me vi_ _ _

d. me du_ _ _

e. _ _ lavo

f. me le_ _ _ to

g. me a_ _ _sto

h. me arre_ _ _

i. me rela_ _

j. me _ _ _pierto

pei jo cho glo yu sto
des cue van me

2. Faulty Echo

e.g. *Por la mañana me ducho.*

a. Me despierto a las seis.

b. Me levanto y desayuno.

c. Me ducho y me visto.

d. Voy al colegio a las ocho.

e. Por la tarde hago los deberes.

f. Llego a casa y veo la tele.

g. Por la noche ceno y leo un libro.

h. Por la mañana me pongo el uniforme.

3. Break the flow: Draw a line between words

a. Porlatardealmuerzoyjuegoconmisamigos.

b. Porlamañanamedespiertoalasseis.

c. Entresemanavoyalcolegioalasocho.

d. Normalmentemelevanto,desayunoyluegomevisto.

e. Porlanocheveolateleymerelajo.

f. ¿Cómoesturutinadiaria?Medespiertoymeducho.

g. Melavolosdientes,mepeinoymepongoeluniforme.

4. Listen and tick the correct answer

		1	2	3
a.	Por la mañana	me despierto a las seis	me levanto a las seis	me ducho a las seis
b.	Por la tarde	llego a casa	juego con mis amigos	hago los deberes
c.	Por la noche	veo la tele	me relajo	leo un libro
d.	Voy al colegio	a pie	en autobús	en coche
e.	Todos los días	me peino	me acuesto	me lavo los dientes

5. Spot the Intruder

Identify and underline the word that the speaker is NOT saying

e.g. Por la mañana <u>a veces</u> me ducho a las ocho.

a. ¿Cómo es tu rutina diaria? Normalmente me levanto lavo a las seis.

b. Por la mañana me despierto a las seis y desayuno tarde.

c. Entre semana me voy al colegio a pie a las nueve.

d. Por la tarde llego a casa, pero a las cuatro y luego juego con mis amigos.

e. Todos los días me peino el pelo y me lavo los dientes a las nueve.

f. Por la noche primero veo la tele, luego ceno y sin embargo leo un libro.

g. Por la mañana me te levanto temprano, además me pongo el uniforme.

THE LANGUAGE GYM

6. Listen and tick: True or False?

		True	False
a.	In the morning I get up at 6.		
b.	At night I watch TV.		
c.	In the afternoon I relax.		
d.	First, I brush my teeth.		
e.	Every day I have dinner.		
f.	I wake up at 8.		
g.	I go to school by train.		
h.	I don't go to school by bus.		
i.	I go to the sports centre by car.		

7. Fill in the grid in English

When	Routine(s)
a. In the morning	
b.	
c.	Wake up
d. At 7	
e.	
f.	
g.	
h.	Brush teeth
i.	

8. Narrow Listening. Gapped translation.

a. My name is Rosa and I _____ in a small _____ in Spain. I have _____ hair and _____ eyes. In the _____ I_____ at six. I have a shower and I _____. Then I _____ by _____. In the afternoon I _____ and I have dinner at _____ with my family.

b. My name is José Luis ____ I am very _____. I have short, _____ hair and brown _____. In the morning I_____ at _____. Moreover, I have breakfast and I _____. Then I put my _____ on and I go to school by _____. At night I _____, watch TV and I _____ at ten.

THE LANGUAGE GYM

9. Catch it, Swap it

Listen, correct the Spanish, then translate the new word/phrase.

e.g. Por la mañana me ~~levanto~~ **despierto** *a las seis.* — **e.g.** *wake up*

a. Por la tarde llego a casa y veo la tele. — a.

b. Todos los días me ducho y además me peino. — b.

c. Normalmente voy al colegio en tren. — c.

d. Por la noche voy al polideportivo a pie. — d.

e. ¿Cómo es tu rutina diaria? Me despierto a las ocho. — e.

f. Por la mañana primero desayuno, luego me visto. — f.

g. Entre semana me acuesto tarde, a las nueve. — g.

10. Sentence Bingo

Write 4 of the sentences into the grid. You will hear sentences in Spanish in a RANDOM ORDER. Tick all 4 of your sentences to win bingo.

1. Por la tarde me relajo y hago los deberes.
2. Por la noche veo la tele y leo un libro.
3. Por la tarde juego con mis amigos.
4. Todos los días me levanto a las siete.
5. ¿Cómo es tu rutina diaria?
6. A veces voy al colegio en autobús.
7. Normalmente voy al polideportivo a pie.
8. Entre semana me acuesto a las ocho.
9. Por la mañana desayuno y luego me ducho.
10. Todos los días me despierto a las seis.

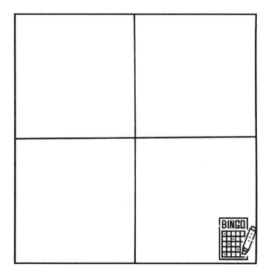

THE LANGUAGE GYM

11. Listening Slalom

Listen and pick the equivalent English words from each column.

e.g. Entre semana me levanto a las siete y me ducho. – During the week I get up at seven and I have a shower.

You could colour in the boxes for each sentence in a different colour and read out the sentence in Spanish.

e.g.	**During the week**	in the afternoon	then I watch TV.	and I have breakfast.
a.	In the morning	I arrive home	I go to bed	walking.
b.	Every day	first I have dinner	**at seven**	I do my homework.
c.	In the afternoon	**I get up**	I play	at nine.
d.	What's your daily routine?	I brush my teeth	I get dressed	**and I have a shower.**
e.	At night	I wake up,	and I go to school	Moreover, I read a book.
f.	In the morning	During the week	early and	with my friends.

Unit 5. I can describe my daily routine: READING

1. Sylla-Moles

Read and put the syllables in the cells in the correct order.

to	te	a	Me	des	las	pier	sie

a. *I wake up at seven:* M___ d_____ a l_____ s_____.

tar	Por	go	gos	mis	mi	la	de	a	con	jue

b. *In the afternoon I play with my friends:* P_____ l___ t_____
j_____ c_____ m_____ a_____.

no	as	y	dos	a	los	dien	me	des	los	la	To	tes	yu	dí	vo

c. *Every day I have breakfast and I brush my teeth:* T_____ l_____
d_____ d_____ y m__ l_____ l___ d_____.

te	o	no	ve	ce	Por	la	y	la	le	che	no

d. *At night I have dinner and I watch tv:* P_____ l___ n_____
c_____ y v_____ l___ t_____.

co	al	Por	las	na	le	co	ña	che	la	en	o	voy	cho	a	ma	gio

e. *In the morning I go to school by car at 8:* P___ l___ m_____
v_____ a__ c_____ e__ c_____ a l___ o_____.

THE LANGUAGE GYM

2. Read the paragraphs and complete the tasks below

1. ¿Cómo es tu rutina diaria? Entre semana me levanto temprano, desayuno, me lavo los dientes y luego voy al colegio a pie a las ocho. En mi colegio llevo una camisa blanca, unos pantalones grises y una corbata. Por la tarde a veces llego a casa a las cuatro. Primero hago los deberes. Sin embargo, juego con mis amigos y veo la tele. Por la noche normalmente ceno a las siete y me acuesto a las nueve. **(Roberto)**

2. Vivo en Alicante y tengo trece años. Tengo los ojos verdes y soy pelirroja. Tengo tres hermanos y me llevo bien con mi madre. Todos los días me despierto a las ocho, me ducho, me peino y me visto. Pero los sábados me levanto tarde y voy al polideportivo en autobús. Por lo general, por la tarde leo un libro. Por la noche ceno con mi familia y después me relajo. Nunca veo la tele. **(Francisca)**

A. For each sentence tick one box	True	False
a. Roberto gets up early during the week.		
b. He goes to school by train.		
c. He wears grey trousers at school.		
d. He arrives home at 6pm.		
e. Francisca has brown eyes.		
f. Every day she has a shower.		
g. On Saturdays she gets up early.		
h. She goes to the sports centre by bus.		
i. She always watches tv.		

B. Find the Spanish for:

a. At night I have dinner.
b. I brush my hair.
c. I arrive home at 4pm.
d. First, I do my homework.
e. I wear a white shirt.
f. I never watch TV.
g. I am redhead.
h. I wake up at 8am.
i. I have 3 brothers.
j. But on Saturdays.
k. I go to bed at 9pm.
l. I brush my teeth.
m. However, I play with my dog.

C. Read the sentences again and decide if they describe Roberto or Francisca.

a. Has dinner at 7pm.
b. Gets up early.
c. Reads in the afternoon.
d. Has green eyes and red hair.
e. Walks to school at 8am.
f. Plays with friends.
g. Never watches TV.
h. Has dinner with family.

THE LANGUAGE GYM

3. Read, match and find the Spanish

A. Match these sentences to the pictures above

a. Por la noche a veces leo un libro.

b. Todos los días me lavo y luego desayuno.

c. Entre semana voy al colegio a pie a las nueve.

d. Normalmente por la mañana me levanto a las siete.

e. Por la tarde llego a casa a las seis y veo la tele.

f. Nunca voy al polideportivo en tren.

g. Por la mañana me lavo los dientes y me peino.

h. Por la tarde primero ceno y luego me relajo.

i. Por la noche siempre me acuesto a las diez.

j. Todos los días en el colegio juego con mis amigos.

B. Read the sentences in task A again and find the Spanish for:

a. I go to school.

b. I get up at 7am.

c. Never

d. I watch TV.

e. First I have dinner.

f. Walking

g. I brush my hair.

h. Every day

i. I always go to bed.

j. After I relax.

k. I read a book.

l. I have breakfast.

m. I play with my friends.

THE LANGUAGE GYM

4. Tiles Match. Pair them up.

d. Luego veo la tele	e. Entre semana

4. By car	1. I shower at 8	c. Me pongo el uniforme	a. En coche	f. Me levanto
2. I get up	5. During the week	3. After I watch TV	b. Me ducho a las ocho	6. I put my uniform on

5. Tick or Cross

A. Read the text. Tick the box if you find the words in the text, cross it if you do not find them.

Vivo en Argentina. Tengo quince años. Soy amable pero un poco perezoso. Tengo los ojos marrones y el pelo corto y liso. Entre semana me levanto tarde y no desayuno. Me lavo los dientes, me pongo el uniforme y luego voy al colegio en coche a las nueve. En mi colegio llevo un jersey azul, unos pantalones negros y una corbata. Almuerzo a la una. Por la tarde llego a casa a las cuatro. Primero me relajo y luego juego con mis amigos. Por la noche ceno a las seis. Sin embargo, veo la tele. Normalmente me acuesto a las diez. ¿Cómo es tu rutina diaria?

		✓	✗
a.	Entre semana		
b.	Almuerzo a la una.		
c.	Voy al colegio a pie.		
d.	Llevo un jersey negro.		
e.	First, I relax.		
f.	However, I watch TV.		
g.	Short straight hair.		
h.	I brush my teeth.		
i.	I arrive home at 6pm.		

B. Find the Spanish in the texts above

a. At school I wear a blue jumper. _____

b. I have brown eyes. _____

c. After I play with my friends. _____

d. I go to bed at 10pm. _____

e. I have dinner at 6pm. _____

6. Language Detective

★ ¿Cómo es tu rutina diaria? Por lo general <u>me despierto</u> a las seis, me ducho y desayuno. Luego me visto y me peino. Entre semana voy al colegio en coche a las ocho. Por la noche no ceno. Sin embargo, a veces leo un libro y me acuesto a las diez. **Ricardo**

★ Vivo en Colombia y tengo doce años. Todos los días me levanto a las ocho. Primero desayuno y luego me pongo el uniforme. Llevo una falda negra y una camiseta roja. Por la tarde juegos con mis amigos. Los viernes voy al polideportivo en autobús. **Mía**

★ Soy alto y bastante simpático. Tengo veinte años. Tengo los ojos azules y llevo barba. Normalmente por la mañana me lavo los dientes, pero no desayuno. Almuerzo a las doce. Además, juego con mis amigos. Por la tarde llego a casa a las seis y ceno. **Jaime**

★ Hola, me llamo **Bárbara** y tengo quince años. Me llevo muy bien con mi madre porque es generosa. Por la mañana me levanto temprano, me visto y voy al colegio a pie. Almuerzo a la una y llego a casa a las cuatro. Luego hago los deberes y veo un poco la tele.

A. Find someone who...

a. ...has lunch at 12.

b. ...doesn't have breakfast.

c. ...wears a red t-shirt.

d. ...sometimes reads a book at night.

e. ...wakes up at 6am.

f. ...arrives home at 4pm.

g. ...goes to school by car.

h. ...goes to the sports centre by bus.

i. ... gets up early.

j. ...mum is generous.

k. ...has blue eyes.

l. ...walks to school.

m. ...plays with friends in the afternoon.

B. Find and underline the Spanish in Ricardo's text. One box is not mentioned!

	I shower	By car
I wake up		
I go to bed	Your daily routine	At night
I get dressed	I read a book	In the morning
At ten	I go to school	However
After	Usually	I brush my hair

THE LANGUAGE GYM

7. Square This!

Reorder the sentences in the square to translate the paragraph below. Number them 1 to 15.

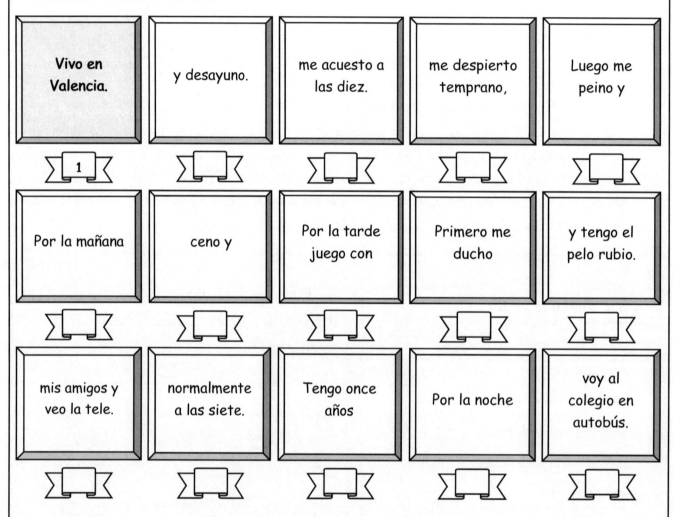

Vivo en Valencia.	y desayuno.	me acuesto a las diez.	me despierto temprano,	Luego me peino y
1				
Por la mañana	ceno y	Por la tarde juego con	Primero me ducho	y tengo el pelo rubio.
mis amigos y veo la tele.	normalmente a las siete.	Tengo once años	Por la noche	voy al colegio en autobús.

I live in Valencia. I am 11 years old and I have blond hair. In the morning I wake up early, normally at seven. First, I shower and I have breakfast. Then I brush my hair and I go to school by bus. In the afternoon I play with my friends and I watch TV. At night I have dinner and I go to bed at ten.

8. Crack-it Transl-it

1. voy al colegio	**2.** llego a casa	**3.** a las siete	**4.** por la tarde	**5.** temprano
6. hago los deberes	**7.** Primero desayuno	**8.** entre semana	**9.** a veces	**10.** a pie.
11. y me ducho	**12.** voy al polideportivo	**13.** me despierto	**14.** Por la mañana	**15.** y almuerzo
16. me visto.	**17.** a las doce.	**18.** Por la noche	**19.** a las ocho	**20.** luego
21. a las cinco	**22.** me levanto	**23.** en autobús	**24.** y me acuesto	**25.** y ceno
26. ceno	**27.** me relajo	**28.** y veo la tele	**29.** normal-mente	**30.** y leo un libro

C: Crack-it: crack the code and write the sentence in Spanish

T: Transl-it: translate the sentence into English

a. 14-22-3-7-20-16-1-10

C: _____

T: _____

b. 29-13-5-11-19-1-23-15-17

C: _____

T: _____

c. 4-29-2-21-25-20-6-28

C: _____

T: _____

d: 8-12-10-18-27-30-9-26-3-24

C: _____

T: _____

THE LANGUAGE GYM

Unit 5. I can describe my daily routine: WRITING

1. Spelling

a. P__ __ l__ m__ __ __ __ __   *In the morning*

b. M__ d__ __ __ __ __ y m__ v__ __ __ __.   *I shower and I get dressed.*

c. M__ l__ __ __ l__ __ d__ __ __ __ __ __.   *I brush my teeth.*

d. ¿C__ __ __ e__ t__ r__ __ __ __ __?   *What's your daily routine?*

e. A__ __ __ __ __ __ __ __ __ a l__ u__ __.   *I have lunch at 1pm.*

2. Anagrams

a. noyaDesu a sal tiese   *I have breakfast at 7am.*

__ __ __ __ __ __ __ __ __ __ __ __ __ __ __ __ __ __ __.

b. orP al detar em loreja   *In the afternoon I relax.*

__ __ __ __ __ __ __ __ __ __ __ __ __ __ __ __ __ __ __ __ __.

c. eM cuastoe a sla iezd   *I go to bed at ten.*

__ __ __ __ __ __ __ __ __ __ __ __ __ __ __ __ __ __.

3. Gapped Translation

a. Entre semana me levanto a las siete y me acuesto temprano.

During the _____ I _____ at seven and I go to _____.

b. Todos los días veo la tele y leo un libro por la noche.

Every _____ I _____ TV and I _____ a _____ at night.

c. Por la tarde llego a casa a las cuatro. Luego juego con mis amigos.

In the afternoon I_____home at _____. Then I _____my friends.

4. No Vowels

a. In the morning I wake up late.

P__r l__ m__ñ__n__ m__ d__sp____rt__ t__rd__.

b. First, I relax, then I do my homework.

Pr__m__r__ m__ r__l__j__, l__ __g__ h__g__ l__s d__b__r__s.

c. At night I go to bed at nine.

P__r l__ n__ch__ m__ __c____st__ __ l__s n____v__.

5. No Consonants

a. During the week I get up at seven.

E__ __ __ __e __e__a__a __e __e__a__ __o a __a__ __ie__e.

b. In the morning I eat breakfast at nine.

__o__ __a __a__a__a __e__a__u__o a__a__ __ue__e

c. I brush my teeth every day.

__e __a__o __o__ __ie__ __e__ __o__o__ __o__ __ía__.

6. Split Sentences

1. Por la tarde llego	a. noche veo la tele
2. En casa llevo una camiseta	b. porque es cómoda
3. Por la	c. rutina diaria?
4. Todos los	d. ducho y me visto
5. Entre semana me	e. en coche
6. Desayuno y voy al colegio	f. a casa
7. ¿Cómo es tu	g. días me levanto a las seis

1	
2	
3	
4	
5	
6	
7	

7. Fill in the gaps

a. En mi _____ hay cinco personas. Me_____ bien con mi hermana porque es _____. Por la mañana me _____ a las siete, _____ y luego me_____ el uniforme. Llevo una _____ negra y una chaqueta roja. Almuerzo a la _____. Por la tarde veo la _____ y me _____ a las diez.

tele	levanto	falda	desayuno	acuesto	familia	una	amable	llevo	pongo

b. ¿_____ es tu rutina diaria? Por la mañana me despierto a las _____, me ducho y me _____ los dientes. _____ voy al colegio en_____. Por la _____ llego a casa a _____ cuatro, _____ me relajo y luego _____ los deberes. Por la noche _____ un libro y ceno con mi familia.

las	lavo	tarde	leo	coche	primero	Cómo	hago	Luego	ocho

8. Sentence Puzzle

Put the Spanish words in the correct order

a. la Por normalmente me desayuno pongo y el mañana uniforme
In the morning I normally have breakfast and I put on my uniform.

b. voy semana coche a Entre al en colegio doce y almuerzo las
During the week I go to school by car and I have lunch at twelve.

c. despierto temprano me Todos días los, visto y me peino me.
Every day I wake up early, I get dressed and I brush my hair.

d. doce años Tengo. siete Me a las levanto diez y las acuesto me a.
I am 12 years old. I get up at seven and I go to bed at ten.

e. colegio, Almuerzo en el tarde pero la por familia ceno mi seis a las con.
I have lunch at school, but in the evening I have dinner with my family at six.

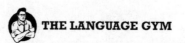

THE LANGUAGE GYM

9. Faulty Translation. Write the correct English version.

e.g. *Me levanto a las seis.* $\Longrightarrow$ *I __wake up__ at six.* | *e.g. I get up at six*

a. Por la mañana me ducho. $\Longrightarrow$ In the evening I have a shower. | **a.**

b. Voy al colegio a pie. $\Longrightarrow$ I go to school by car. | **b.**

c. Me lavo los dientes. $\Longrightarrow$ I brush my hair. | **c.**

d. Me acuesto a las diez. $\Longrightarrow$ I go to sleep at nine. | **d.**

e. Juego con mis amigos. $\Longrightarrow$ I play with my brother. | **e.**

10. Phrase-level Translation. How would you write it in Spanish?

a. I wake up at eight. _____

b. I get dressed and I have breakfast. _____

c. In the afternoon I relax. _____

d. In the morning I brush my teeth. _____

e. During the week I have lunch at twelve. _____

f. I go to the sports centre by bus. _____

11. Sentence Puzzle: Reorder the words in Spanish.

a. me a las levanto Por seis y desayuno mañana la

_____

b. días Todos dientes me los lavo peino me y los

_____

c. al polideportivo en voy Entre coche semana

_____

d. noche me la Por relajo y tele veo la

_____

12. Guided Translation

a. ¿C_____ e__ t_ r_____ d_____? M__ l_____ a l___ s_____.

What's your daily routine? I get up at six.

b. P_____ l___ m_____ m__ l_____ t_____ y n_____ d_____.

In the morning I get up late and I never have breakfast.

c. P___ l_ t_____ j_____ c_ m____ a_____ y v____ l_ t_____.

In the afternoon I play with my friends and I watch TV.

d. E_____ s_____ m_ v_____ y v____ a__ c_____ a l__ o____.

During the week I get dressed and I go to school at eight.

e. ¿C_____ a_____ t_____ t_ h_____? É__ t_____ d___ a___.

How old is your brother? He is two years old.

13. Tangled Translation

a. Write the Spanish words in English to complete the translation

I live in **Málaga. Me llamo Miguel, tengo quince años y** I am quite tall. **Por la mañana** I wake up at seven, **me lavo, me visto** and I have breakfast. Then I brush my teeth and **me pongo el uniforme.** I go to school by car **a las nueve.** I have lunch and **juego con mis amigos.** In the afternoon I arrive home **a las cinco y me relajo.** Sometimes I watch tv.

b. Write the English words in Spanish to complete the translation

Vivo en Santander. Me llamo Isabela and **I am twelve years old.** Tengo un hermano, **but I don't have a sister.** Por la mañana **I get up at six** y me ducho. **Moreover,** me lavo los dientes **and I brush my hair. I get dressed at seven** y voy al colegio **walking.** Normalmente llevo un jersey verde y **black trousers. I have lunch at one.** Por la tarde a veces **I do my homework,** pero nunca veo la tele. **At night I relax and I go to bed** a las diez.

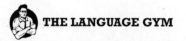

14. Rock Climbing

Starting from the bottom, pick one chunk from each row to translate the sentences below.

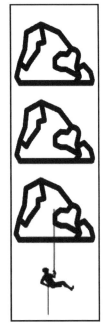

veo la tele.	a pie.	en coche.	me lavo los dientes.	los deberes.
siempre	Luego	no hago	polideportivo	voy al colegio
me peino pero	desayuno, pero	temprano y	con mi familia.	luego voy al
primero me relajo,	ceno	me ducho y	me despierto	a veces
Entre semana	Por la tarde,	Por la mañana	Todos los días	Por lo general
a.	b.	c.	d.	e.

a. During the week I wake up early and I go to school walking.

_____

b. In the afternoon, first I relax, then I go to the sports centre by car.

_____

c. In the morning sometimes I have breakfast, but I always brush my teeth.

_____

d. Every day I have a shower and I brush my hair, but I don't do my homework.

_____

e. Usually I have dinner with my family. Then I watch TV.

_____

THE LANGUAGE GYM

15. Staircase Translation

Starting from the top, translate each chunk into Spanish.

Write the sentences in the grid below.

a.	In the morning	I wake up at eight.				
b.	First	I have breakfast,	then I get dressed.			
c.	At night	I relax	and I go to bed	at ten.		
d.	Every day	I arrive home	at four and	I play with friends.		
e.	During the week	I get up	at seven.	However,	I don't do	my homework.

Answers / Respuestas

a.	
b.	
c.	
d.	
e.	

🏆 Challenge / Desafío

Can you create 2 more sentences using the words in the staircase grid above?

☆	
☆	

THE LANGUAGE GYM

One pen One dice

Play in pairs. You only have 1 pen and 1 dice.

One person has the pen and starts translating the sentence into **English.** The other person rolls the dice until they roll a 6, they swap the pen and translate. The winner is the person who finishes translating all the sentences first.

1. Entre semana me levanto a las siete.	
2. Todos los días desayuno y me lavo los dientes.	
3. Por la mañana me ducho y me visto.	
4. Me acuesto a las nueve y leo un libro.	
5. Voy al colegio a pie a las ocho.	
6. Por la tarde juego con mis amigos.	
7. Por la noche ceno. Además veo la tele.	
8. Primero me pongo el uniforme, luego me peino.	
9. Por la mañana me despierto temprano.	
10. Por la tarde voy al polideportivo en coche.	

THE LANGUAGE GYM

One pen One dice

Play in pairs. You only have 1 pen and 1 dice.

One person has the pen and starts translating the sentence into **Spanish.** The other person rolls the dice until they roll a 6, they swap the pen and translate. The winner is the person who finishes translating all the sentences first.

1. During the week I get up at 7.	
2. Every day I have breakfast and I brush my teeth.	
3. In the morning I have a shower and I get dressed.	
4. I go to bed at 9 and I read a book.	
5. I go to school walking at 8.	
6. In the afternoon I play with my friends.	
7. At night I have dinner. Moreover, I watch TV.	
8. First I put on my uniform, then I brush my hair.	
9. In the morning I wake up early.	
10. In the afternoon I go to the sports centre by car.	

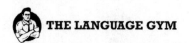

UNIT 6

¿QUÉ ASIGNATURAS ESTUDIAS?

In this unit you will learn how to say in Spanish:

- ✓ What school subjects you study
- ✓ Days of the week
- ✓ Opinions - like/dislike

You will revisit:

- ★ Adjectival agreement
- ★ Me gusta(n)/No me gusta(n)

¿Qué estudias en el colegio, Leo?

Estudio español. Me gusta porque es útil y divertido.

I can give opinions on school subjects

¿Qué asignaturas estudias? *What subjects do you study?*

En el colegio *At school*	estudio *I study* mi amigo estudia *my friend studies*	alemán *German* dibujo *art* español *Spanish* francés *French* inglés *English*
Los lunes *On Mondays* **Los martes** *On Tuesdays* **Los miércoles** *On Wednesdays* **Los jueves** *On Thursdays* **Los viernes** *On Fridays*	tengo clase de *I have … class* no tengo clase de *I don't have … class* mi amigo tiene clase de *my friend has … class*	biología *biology* educación física *PE* geografía *geography* historia *history* informática *ICT* química *chemistry* religión *RE* ciencias *science* matemáticas *maths*

Me gusta *I like* No **me** gusta *I don't like* A mi amigo **le** gusta *My friend likes* A mi amigo no **le** gusta *My friend doesn't like*	**el**	alemán dibujo español	pero *but* porque *because*	**es** **no es**	aburrido *boring* agotador *tiring* complicado *complicated* divertido *fun* fácil *easy* interesante *interesting* útil *useful*
	la	biología geografía historia			aburrida agotadora complicada divertida
Me gusta**n** *I like* No me gusta**n** *I don't like*	**las**	ciencias matemáticas		**son**	complicadas divertidas interesantes útiles

THE LANGUAGE GYM

Unit 6. I can give opinions on school subjects: LISTENING

1. Listen and complete with the missing syllable

a. Biolo___

b. Informá___ca

c. Geogra___

d. Histo___

e. A___mán

f. Espa____

g. Di___jo

h. In_____

i. _____mica

j. Tea___

glés	ti	fía	tro	gía
bu	ria	quí	ñol	le

2. Faulty Echo

e.g. Estudio <u>música.</u>

a. Tengo clase de inglés.

b. Me gusta el francés.

c. No estudio informática.

d. No me gusta la religión.

e. Mi amigo tiene clase de arte.

f. No tengo clase de biología.

g. A mi amigo le gusta el alemán.

h. Me gustan las matemáticas.

3. Break the flow: Draw a line between words

a. Loslunestengoclasedeeducaciónfísica.

b. Losviernesestudioespañolygeografía.

c. Losjuevesnotengoclasedehistorianideciencias.

d. Losmartesmiamigotieneclasedeinglésyreligión.

e. Amiamigonolegustaelfrancésperolegustaelarte.

f. Enelcolegioestudioteatroymúsica.

g. ¿Quéasignaturasestudias? Estudioinglés.

THE LANGUAGE GYM

4. Listen and tick the correct answer

		1	2	3
a.	Tengo clase de	alemán	ciencias	francés
b.	No estudio	inglés	francés	informática
c.	Estudio inglés	porque es divertido	pero es aburrido	pero es complicado
d.	No me gusta la religión	porque es interesante	pero es complicada	porque es divertida
e.	Me gustan las ciencias	pero son aburridas	pero son bastante difíciles	pero son bastante útiles

5. Spot the Intruder

Identify and underline the word that the speaker is NOT saying.

e.g. En el colegio estudio <u>estudia</u> música y arte.

a. ¿Qué asignaturas te estudias? Estudio español y ciencias.

b. A mi amigo le gusta el italiano, pero no le gusta también el francés.

c. Los martes tengo clase de educación física, me te gusta porque es divertida.

d. Los viernes mi amigo tiene clase de química, pero útil no le gusta.

e. No estudio informática. Los lunes estudia tengo clase de biología.

f. Mi amiga estudia matemáticas. No le gustan porque son es complicadas.

g. No me gusta el la historia porque es complicada, pero es interesante.

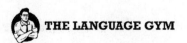
THE LANGUAGE GYM

6. Listen and tick: True or False?

	True	False
a. On Wednesdays I have art		
b. On Tuesdays I have drama		
c. I like English because it's interesting		
d. I don't like history because it's boring		
e. I like Spanish because it is useful		
f. I like PE but it is tiring		
g. Chemistry is difficult		
h. French is fun		
i. Geography is easy		

7. Fill in the grid in English

e.g. Subject	Opinion
a. German	
b.	
c.	interesting
d.	
e. English	
f.	useful
g. Spanish	
h.	fun
i.	
j.	tiring

8. Narrow Listening. Gapped translation

a. During the week I _____ at seven. First I have breakfast and I _____ then I go to _____. On _____ I have _____ class. I like it because it is _____. My friend likes _____ because it is _____ but a little _____. And you, what _____ do you study? At school I study _____ and _____.

b. In the morning I wake at _____. I _____ my teeth and I go to school at _____. I study many _____. I like _____ because it is _____ but I don't like _____ because it is _____. My friend Verónica Palacín has _____ class on _____. She doesn't like _____ but it is _____.

9. Catch it, Swap it

Listen, correct the Spanish, then translate the new word/phrase

e.g. Los jueves tengo clase de ~~francés~~ *inglés*.

a. En el colegio estudio matemáticas y ciencias.

b. No me gusta el dibujo porque es agotador.

c. A mi amiga le gusta la religión porque es útil.

d. Los lunes tengo clase de química y religión.

e. No me gusta la informática porque es agotadora.

f. Los viernes no tengo clase de educación física.

g. Me gusta mucho la historia porque es divertida.

e.g. English
a.
b.
c.
d.
e.
f.
g.

10. Sentence Bingo

Write 4 of the sentences into the grid. You will hear sentences in Spanish in a RANDOM ORDER. Tick all 4 of your sentences to win bingo.

1. A mi amigo le gusta el francés.
2. Los jueves tengo clase de música.
3. Los martes estudio inglés y español.
4. Me gustan las ciencias porques son divertidas.
5. En mi colegio estudio biología.
6. No me gustan las matemáticas, pero son útiles.
7. ¿Qué asignaturas estudias? Estudio ciencias.
8. Me gusta la geografía porque es interesante.
9. No estudio matemáticas porque son aburridas.
10. Me gusta la informática porque es útil.

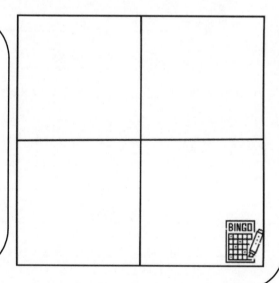

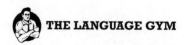

11. Listening Slalom

Listen and pick the equivalent English words from each column – drawing a line as you follow the speaker

e.g. On Mondays I have Spanish and Maths class. – Los lunes tengo clase de español y matemáticas.

You could colour in the boxes for each sentence in a different colour and read out the sentence in Spanish

e.g.	On Mondays	I have PE class.	I don't like it because	I like it a lot.
a.	My friend likes	I don't study chemistry.	Spanish and	it is very difficult.
b.	On Wednesdays	I have	I like it a lot	because it is boring.
c.	On Fridays	biology	My friend likes music	maths class.
d.	In my school	on Tuesdays.	because it is interesting	and useful too.
e.	What subjects do you study?	I study science.	I study geography and	because it is fun.
f.	I don't have music class	I study maths,	I don't like it	but it is tiring.

THE LANGUAGE GYM

Unit 6. I can give opinions on school subjects: READING

> ### 1. Sylla-Moles
>
> Read and put the syllables in the cells in the correct order

es	que	in	san	Me	el	te	por	gu	re	te	in	sta	glés

a. *I like English because it is interesting:* M__ g_____ e__
i_____ p_____ e__ i_____ .

que	Es	ti	dio	ver	ca	da	es	tu	di	mú	por	si

b. *I study music because it is fun:* E_____ m_____
p_____ e____ d_____ .

com	pe	tan	má	te	gus	ma	cas	Me	ro	las	ti	das	pli	son	ca

c. *I like maths, but it is complicated:* M___ g_____ I___
m_____ , p_____ s____ c_____ .

lo	a	Es	sta	mi	gu	le	mi	gía	es	go	la	A	bio	til	ú

d. *My friend likes biology, it is useful! :* A m____ a_____ I___
g_____ I__ b_____ ¡E__ ú_____ !

ta	La	go	na	fí	ca	du	ción	la	si	e	go	ca	es	ra	a	do

e. *Physical education is tiring:* L___ e_____ f_____
e___ a_____ .

2. Read the paragraphs and complete the tasks below

1. Todos los días me despierto a las siete, desayuno y me pongo el uniforme. Luego voy al colegio en autobús a las ocho. En mi colegio por lo general estudio muchas asignaturas. Me gusta el inglés porque es interesante. También me encanta la educación física porque es divertida, pero a veces es agotadora. A mi amigo le gusta el español porque es útil. No estudio historia porque es aburrida. **(Ricardo)**

2. Tengo once años y vivo en Colombia. Tengo los ojos marrones y el pelo largo y rizado. Soy bastante activa y amable. Normalmente me levanto a las siete y media, me ducho, me visto y me lavo los dientes. Los lunes tengo clase de geografía, me encanta porque me llevo bien con mi profesor. Los martes estudio francés, dibujo, matemáticas y ciencias. No me gustan mucho las matemáticas porque son complicadas pero útiles. **(Sara)**

A. For each sentence tick one box	True	False
a. Ricardo wakes up early at six.		
b. He goes to school by bus.		
c. He likes ICT because it's interesting.		
d. He says that history is useful.		
e. Sara has long straight hair.		
f. She gets up at half past seven.		
g. She gets on well with geography teacher.		
h. She has French on Thursdays.		
i. She likes maths because it's fun.		

B. Find the Spanish for:

a. Also, I love PE.
b. I don't study history.
c. On Mondays I have geography class.
d. I study many subjects.
e. He likes Spanish.
f. I get on well with my teacher.
g. I have brown eyes.
h. I go to school by bus.
i. But sometimes tiring.
j. French, art, maths.
k. Complicated but useful.
l. I brush my teeth.
m. On Tuesdays I study.

C. Read the sentences again and decide if they refer to Ricardo or Sara

a. Gets up at half past seven.
b. Doesn't like maths.
c. Likes English.
d. Is quite active and kind.
e. Has science on Tuesday.
f. Says that PE is fun.
g. Doesn't study history because it's boring.
h. Goes to school by bus at eight.

THE LANGUAGE GYM

3. Read, match and find the Spanish

A. Match these sentences to the pictures above

a. Todos los días voy al colegio en autobús.

b. No me gusta mucho la informática, pero es útil.

c. Los lunes tengo clase de geografía a las ocho.

d. Me encanta el dibujo porque es relajante.

e. A mi amigo le gusta el español porque es útil.

f. La educación física es un poco agotadora.

g. Los miércoles mi amiga tiene clase de biología.

h. Siempre estudio música porque es divertida.

i. Nunca estudio matemáticas porque son complicadas.

j. No me gusta el inglés porque es aburrido.

B. Read the sentences in task A again and find the Spanish for:

a. I love art.
b. I never study.
c. A little tiring
d. But it's useful.
e. I always study.
f. Because it's fun.
g. I go to school.
h. My friend likes.
i. It's difficult.
j. I don't like.
k. On Wednesdays
l. Because it's boring.
m. By bus

4. Tiles Match. Pair them up.

c. No es complicado	**e.** Porque es útil

6. I like chemistry	**4.** Because it is boring	**2.** Spanish class	**1.** At school	**b.** Me gusta la química
a. Clase de español	**f.** En el colegio	**5.** Because it is useful	**3.** It's not complicated	**d.** Porque es aburrido

5. Tick or Cross

A. Read the text. Tick the box if you find the words in the text, cross it if you do not find them.

Tengo catorce años y vivo en Chile. Soy simpática, pero a veces habladora. Tengo los ojos verdes y soy alta. Todos los días me levanto a las siete, me pongo el uniforme y luego voy al colegio en autobús. En mi colegio llevo una falda azul y unos zapatos negros. Los martes tengo clase de inglés, química, francés, religión y educación física. No me gusta la religión porque es un poco aburrida. Prefiero la educación física porque es divertida, pero a veces agotadora. También me encanta el francés porque es útil y me llevo bien con el profesor.

		✓	✗
a.	Pero a veces habladora		
b.	Llevo una falda azul		
c.	Me encanta el francés		
d.	Porque es interesante		
e.	I go to school by car		
f.	I prefer maths		
g.	I don't like music		
h.	A little boring		
i.	I have blue eyes		

B. Find the Spanish in the texts above

a. I get on well with the teacher _____

b. Every day I get up at 7 _____

c. Fun, but sometimes tiring _____

d. I prefer PE because... _____

e. I have green eyes and I am tall _____

6. Language Detective

★ ¿Qué asignaturas estudias? Estudio matemáticas, inglés y español. No me gustan las matemáticas porque son un poco complicadas. Me encanta el inglés porque es interesante. También me gusta el español porque me llevo bien con el profesor. **Andy**

★ Tengo trece años y vivo en México. Todos los días voy al colegio en tren. Estudio muchas asignaturas. Me encanta la geografía porque en mi opinión es muy útil. No me gusta la química porque es aburrida. Prefiero el alemán porque es interesante. **Miriam**

★ Mi amigo se llama Miguel, tiene el pelo corto y negro. A Miguel le gusta la historia porque es divertida. Los martes tiene clase de música y le gusta mucho porque es relajante. No le gustan las ciencias porque son aburridas. **Juan**

★ Los viernes tengo clase de educación física. Me gusta mucho porque es divertida, pero a mi amigo no le gusta porque es agotadora. Los miércoles estudio química y religión. No me gusta la química porque es complicada. En mi opinión, la religión es interesante. **Lisa**

A. Find someone who...

a. ...has chemistry on Wednesdays.

b. ...has a friend who likes history.

c. ...gets on well with the teacher.

d. ...prefers German.

e. ...says that science is boring.

f. ...likes PE a lot because it's fun.

g. ...friend has music on Tuesdays.

h. ...doesn't like maths.

i. ...says that geography is very useful.

j. ...studies RE on Wednesdays.

k. ...loves English because it's interesting.

l. ...finds chemistry complicated.

m. ...studies maths, English and Spanish.

B. Find and underline the Spanish in Miriam's text. One box is not mentioned!

~~I am 13 years old~~	I love geography	In my opinion
I live in Mexico	Because it is interesting	Many subjects
I don't study	It's very useful	By train
Chemistry	Every day	I prefer German
Because it is boring	I study	I don't like

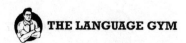

7. Square This!

Reorder the sentences in the square to translate the paragraph below. Number them 1 to 15.

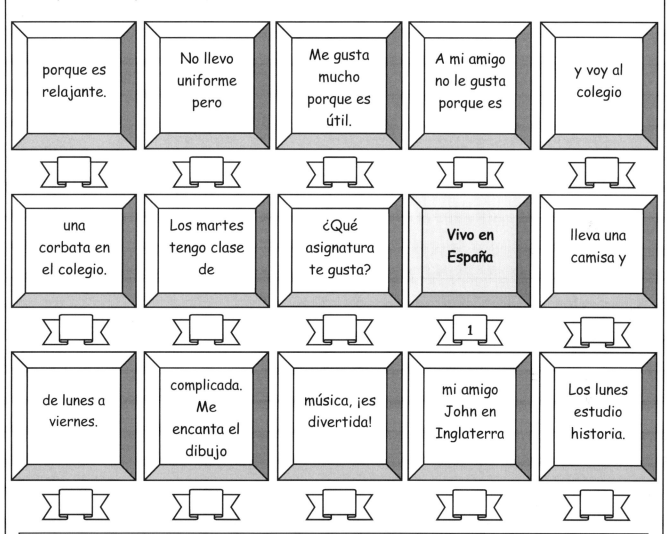

porque es relajante.	No llevo uniforme pero	Me gusta mucho porque es útil.	A mi amigo no le gusta porque es	y voy al colegio
una corbata en el colegio.	Los martes tengo clase de	¿Qué asignatura te gusta?	**Vivo en España** (1)	lleva una camisa y
de lunes a viernes.	complicada. Me encanta el dibujo	música, ¡es divertida!	mi amigo John en Inglaterra	Los lunes estudio historia.

I live in Spain and I go to school from Monday to Friday. I don't wear a uniform, but my friend John, in England, wears a shirt and a tie in school. On Mondays I study history. I really like it because it is useful. On Tuesdays I have music class, it's fun! My friend doesn't like it because it's complicated. I love art because it is relaxing. What subject do you like?

8. Crack-it Transl-it

1. ¿Qué asignaturas	2. química	3. En el colegio	4. la informática	5. el inglés
6. la geografía	7. divertidas	8. me llevo bien	9. Los jueves	10. porque es
11. con mi profe	12. las matemáticas	13. útil	14. aburrida	15. pero
16. complicada	17. estudio	18. interesante	19. no me gusta	20. y
21. me encanta	22. A mi amigo	23. tengo clase de	24. prefiere	25. estudias?
26. le gusta	27. No estudio	28. porque son	29. español	30. un poco

C: Crack-it: crack the code and write the sentence in Spanish

T: Transl-it: translate the sentence into English

a. 3-17-29-21-10-13-20-8-11

C: _____

T: _____

b. 9-23-2-19-10-16- 20-30-14

C: _____

T: _____

c. 22-26-4-10-18-15-24-12-28-7

C: _____

T: _____

d: 27-6-15-17-5-10-13-1-25

C: _____

T: _____

THE LANGUAGE GYM

Unit 6. I can say what subject I study: WRITING

1. Spelling

a. E__tud__ __ ma__ __m__ __ica__.   *I study maths.*

b. __ __tu__ __o g__ __ __ra__ __a.   *I study geography.*

c. T__ __ __ __ __ c__ __ __ __ __ d __ d__ __u__o.   *I have art class.*

d. __n e__ __ole__ __o __stud__ __ __ e__ __a__ol.   *At school I study Spanish.*

e. L__ __ lu__ __s t__ __go cla__ __ __ d__ i__ __ __ __és.   *On Mondays I have English.*

2. Anagrams

a. nE le gioleco tudioes glésni y logíaboi   *At school I study English and biology.*

__ __ __ __ __ __ __ __ __ __ __ __ __ __ __ __ __ __ __ __ __ __ __ __ __ __ __ __ __ __ __ __ __.

b. Lso lescromié gonte secla ed uqimíca   *On Wednesdays I have chemistry class.*

__ __ __ __ __ __ __ __ __ __ __ __ __ __ __ __ __ __ __ __ __ __ __ __ __ __ __ __ __ __ __.

c. iM migaa tudiase amelán y sfrénca   *My friend studies German and French.*

__ __ __ __ __ __ __ __ __ __ __ __ __ __ __ __ __ __ __ __ __ __ __ __ __ __ __ __.

3. Gapped Translation

a. En el colegio mi amigo estudia dibujo pero no estudia alemán.
   At _____ my _____ studies _____ but he doesn't study _____.

b. No me gusta la química porque en mi opinión es agotadora y complicada.
   I don't like _____ because in my _____ it is _____ and _____.

c. Después del colegio, en casa, estudio francés con mis hermanos.
   _____ school, at _____, I study French _____ my _____.

d. Me gustan las matemáticas, pero a mi amigo le gustan las ciencias y la religión.
   I _____ maths, but my _____ likes _____ and _____.

THE LANGUAGE GYM

4. No Vowels

a. After school I always study maths.

D__sp__ __s d_l c_l_g__ __ s_ __mpr_ __st_d_ __ m_t_m_t_c_s.

b. At school I study Spanish and German.

__n _l c_l_g__ __ __st_d__ __sp__ñ_l _ __l_m__n.

c. I like RE because it is interesting.

M__ g__st_ l_ r_l_g__ __n p_rq__ __ __s __nt_r_s_nt__.

d. My friend likes science because it is useful.

__ m__ __m_g_ l_ g_st_n l_s c__ __nc__ __s p_rq__ __ s_n __t_l_s.

5. No Consonants

a. During week, at school I study English.

E__ __ __ __e __e_a_a, e_ e_ __o_e_io e__ __u_io i__ __ __é__.

b. What subjects do you study? I study maths.

¿__ué a_i__ __a_u_as e__ __u_ia? E__ __u_io __a_e_á_i_a__.

c. On Fridays my friend has chemistry class.

__o__ __ie__ __e__ __i a_i_a __ie_e __ __a_e __e __uí_i_a.

6. Split Sentences

1. Los lunes	a. las matemáticas
2. Mi amigo	b. el inglés
3. Las	c. estudia chino
4. Me gusta	d. química
5. A mi amiga	e. estudio informática
6. Me gustan	f. le gusta el español
7. Me gusta la	g. ciencias son interesantes

1	
2	
3	
4	
5	
6	
7	

7. Fill in the gaps

a. Hola, tengo trece _____ y vivo con mi _____ en Barcelona. Por la _____ voy

al colegio. En el _____ estudio inglés y _____ matemáticas. Los _____ tengo

clase de educación física. Me _____ porque es divertida. A mi _____ no le gusta

porque es _____.

amigo	años	mañana	familia	gusta	lunes	agotadora	colegio	también

b. ¿Qué asignaturas _____? En el colegio _____ el _____ pero mi amigo _____

el alemán. Me _____ el dibujo porque es _____. __ mi amiga no le gustan las ciencias

porque _____ difíciles y _____, pero son _____.

a	estudio	gusta	estudia	español	estudias	interesante	agotadoras	interesantes	son

8. Sentence Puzzle

Put the Spanish words in the correct order

a. colegio En estudio el matemáticas.
   At school I study maths.

b. ¿estudias asignaturas Qué? francés. Los estudio lunes inglés y
   What subjects do you study? On Mondays I study English and French.

c. En francés y alemán. estudia colegio mi amigo el informática,
   At school my friend studies ICT, French and German.

d. no le religión. gusta la gusta A la historia, pero mi amigo le
   My friend doesn't like history, but he likes RE.

e. alemán Los mi pero miércoles y amigo estudio estudia español mi francés,
   On Wednesdays I study German and French, but my friend studies Spanish.

f. son me ciencias las porque No gustan pero complicadas, biología estudio útil es porque
   I don't like science because it's complicated, but I study biology because it's useful.

THE LANGUAGE GYM

9. Faulty Translation. Write the correct English version.

e.g. Estudio francés. ⟹ I study <u>German.</u>   **e.g. I study French**

a. Los lunes tengo clase de dibujo. ⟹ On Tuesdays I have art class.   **a.**

b. Estudio alemán. ⟹ I study art.   **b.**

c. Estudio matemáticas. ⟹ I study science.   **c.**

d. La química es agotadora. ⟹ Chemistry is complicated.   **d.**

e. La física es útil. ⟹ Physics is tiring.   **e.**

10. Phrase-level Translation. How would you write it in Spanish?

a. I study maths and French. _____

b. At school my friend studies German. _____

c. I like art because it is interesting. _____

d. I don't like geography because it is not useful. _____

e. What subjects do you study? _____

f. My friend likes Spanish because it is fun. _____

11. Sentence Puzzle

a. colegio el estudio En física.

_____

b. estudia amigo matemáticas y Mi inglés.

_____

c. jueves clase no Los de tengo francés.

_____

d. A mi gusta religión amigo le la

_____

e. porque útiles. ciencias también interesantes Me son gustan las y

_____

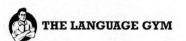

THE LANGUAGE GYM

12. Guided Translation

a. ¿Q____ a_____ e_____ e__ e__ c_____? E_____ i_____.

What subjects do you study at school? I study English.

b. L__ j_____ n__ t_____ c_____ d__ i_____.

On Thursdays I don't have ICT class.

c. L__ m_____ m__ a_____ t_____ c_____ d__ c_____.

On Tuesdays my friend has science class.

d. P_____ l__ m_____ e_____ f_____ y m_____.

In the morning I study French and maths.

e. E__ e__ c_____ m__ a_____ e_____ e_____ f_____.

At school my friend studies PE.

13. Tangled Translation

a. Write the Spanish words in English to complete the translation

I am 13 years old **y vivo en Valencia** with my family. **Entre semana,** normally **voy al colegio** and I love it. **Por la tarde,** always, **hago** my homework and **en mi opinión** is important. **En el cole,** on Mondays, **estudio matemáticas** and **alemán,** but on Tuesdays **no estudio dibujo. Sin embargo,** my friend, **no estudia español,** but **estudia francés.**

b. Write the English words in Spanish to complete the translation

My name is Gabriel, tengo catorce años **and I live en una ciudad which is called** Barcelona. Mi madre tiene el **black hair** y **my** hermana **has** los ojos verdes. **I get on well** con mi padre. **In the morning,** los lunes estudio **English,** pero **in my opinion** es muy **boring.** Sin embargo, **on Tuesdays** estudio **PE and** no me gusta porque **it is very tiring.** Mi amigo Roberto, **doesn't study German,** sin embargo, **he studies** francés. **He doesn't like** la geografía porque es **complicated.**

THE LANGUAGE GYM

14. Rock Climbing

Starting from the bottom, pick one chunk from each row to translate the sentences below.

divertido.	complicada.	complicadas.	divertida.	divertidas.
porque es	porque son	porque no son	porque no es	ya que no es
No me gustan	Me encanta	No me gustan	No le gustan	No le gusta
ciencias.	química.	informática.	matemáticas.	alemán.
no tengo clase de	estudio	mi amigo tiene clase de	tengo clase de	mi amiga estudia
Los lunes	Los martes	Los miércoles	Los jueves	Los viernes
a.	**b.**	**c.**	**d.**	**e.**

a. On Mondays I study maths. I don't like it because it is complicated.

_____

b. On Tuesdays my friend studies science. He doesn't like it because it is not fun.

_____

c. On Wednesdays I have chemistry (class). I love it because it is fun.

_____

d. On Thursdays I don't have German (class). I don't like it because it is not fun.

_____

e. On Fridays my friend has ICT (class). She doesn't like it because it is complicated.

_____

THE LANGUAGE GYM

15. Staircase Translation

Starting from the top, translate each chunk into Spanish.

Write the sentences in the grid below.

a.	On Mondays	I study maths.				
b.	On Tuesdays	my friend studies	PE and French.			
c.	On Wednesdays	I study	ICT	and I like it.		
d.	On Thursdays	I don't study	English and Spanish.	I don't like them	because they are boring.	
e.	On Fridays	I always study	history and geography	I love them	and in my opinion	they are relaxing.

Answers / Respuestas

a.	
b.	
c.	
d.	
e.	

⚓ Challenge / Desafío

Can you create 2 more sentences using the words in the staircase grid above?

☆	
✎	

THE LANGUAGE GYM

16. Guided Writing - *Daily routine / school subjects*

A. Use the information below to complete the gaps in the Spanish paragraph.

Name: Anita   Age: 12   Daily Routine: Morning: wakes up at 7, has breakfast, puts on uniform, goes to school at 8.   Afternoon: goes to the sports centre, plays with friends. Night: dinner, watches TV.

School: On Mondays she has art, biology, Spanish. She likes geography because it is interesting and useful. She doesn't like English because it's boring and complicated.

Me llamo Anita. Tengo doce _____. Por la mañana me _____ a las siete, luego desayuno, me pongo el uniforme y _____ al colegio a las _____. Por la _____ voy al polideportivo y juego _____ mis amigos. Por la noche ceno y _____ la tele. En el colegio los lunes tengo _____, biología y español. Me gusta la geografía porque es _____ y útil. No me gusta el _____ porque es aburrido y complicado.

B. Now use the information below to write a paragraph in Spanish. Can you add anything else?

Name: Pedro   Age: 13 Daily Routine: Morning: gets up at 7, has breakfast, brushes his teeth, goes to school by bus.   Afternoon: reads a book, plays with friends. Night: relaxes, goes to bed at 10pm.

School: On Tuesdays he has music and French. He really likes Spanish because it is very useful. He loves PE because it's fun, but it's tiring.

_____
_____
_____
_____
_____

THE LANGUAGE GYM

ENGLISH 1	SPANISH 1	ENGLISH 2	SPANISH 2
I study English and maths.	Estudio inglés y matemáticas.	At school I study geography.	
On Tuesdays I have science class.	Los martes tengo clase de ciencias.	I like PE but it's tiring.	
My friend likes German because it's useful.	A mi amiga le gusta el alemán porque es útil.	On Mondays I have Spanish class.	
I don't like history because it's boring.	No me gusta la historia porque es aburrida.	My friend Emilia studies French.	
On Fridays my friend Miguel has art class.	Los viernes mi amigo Miguel tiene clase de arte.	I like RE because it's interesting.	
What subjects do you study?	¿Qué asignaturas estudias?	I don't study maths because it's complicated.	
I don't study chemistry, I study biology.	No estudio química, estudio biología.	I don't like French, but it's useful.	
ICT is interesting, but complicated.	La informática es interesante, pero complicada.	English is not boring, it's fun!	

INSTRUCTIONS - You are **PARTNER A**. Work in pairs. Each of you has two sets of sentences - one set has already been translated for you. You will ask your partner to translate these. The other set of sentences have not been translated. Your partner will ask you to translate these.

HOW TO PLAY - Partner A starts by reading out his/her/their first sentence <u>in English</u>. Partner B must translate. Partner A must check the answer and award the following points: **3 points** = perfect, **2 points** = 1 mistake, **1 point** = mistakes but the verb is accurate. If they cannot translate correctly, Partner A will read out the sentence so that Partner B can learn what the correct translation is. Then Partner B reads out his/her/their first sentence, and so on.

OBJECTIVE - Try to win more points than your partner by translating correctly as many sentences as possible.

B **UNIT 6 – LAS ASIGNATURAS**
ORAL PING PONG

ENGLISH 1	SPANISH 1	ENGLISH 2	SPANISH 2
I study English and maths.		At school I study geography.	En el colegio estudio geografía.
On Tuesdays I have science class.		I like PE, but it's tiring.	Me gusta la educación física, pero es agotadora.
My friend likes German because it's useful.		On Mondays I have Spanish class.	Los lunes tengo clase de español.
I don't like history because it's boring.		My friend Emilia studies French.	Mi amiga Emilia estudia francés.
On Fridays my friend Miguel has art class.		I like RE because it's interesting.	Me gusta la religión porque es interesante.
What subjects do you study?		I don't study maths because it's complicated.	No estudio matemáticas porque son complicadas.
I don't study chemistry, I study biology.		I don't like French, but it's useful.	No me gusta el francés, pero es útil.
ICT is interesting but complicated.		English is not boring, it's fun!	El inglés no es aburrido ¡es divertido!

INSTRUCTIONS - You are **PARTNER A**. Work in pairs. Each of you has two sets of sentences - one set has already been translated for you. You will ask your partner to translate these. The other set of sentences have not been translated. Your partner will ask you to translate these.

HOW TO PLAY - Partner A starts by reading out his/her/their first sentence <u>in English</u>. Partner B must translate. Partner A must check the answer and award the following points: **3 points** = perfect, **2 points** = 1 mistake, **1 point** = mistakes but the verb is accurate. If they cannot translate correctly, Partner A will read out the sentence so that Partner B can learn what the correct translation is. Then Partner B reads out his/her/their first sentence, and so on.

OBJECTIVE - Try to win more points than your partner by translating correctly as many sentences as possible.

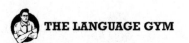 **THE LANGUAGE GYM**

UNIT 7

MIS PROFESORES

In this unit you will learn how to say in Spanish:

- ✓ Which teachers you like/don't like
- ✓ Why you like them
- ✓ What makes a good teacher
- ✓ Verbs: *Me ayuda/escucha*

You will revisit:

- ★ School subjects
- ★ Masculine & feminine adjectives

¿Qué profesor te gusta?

Me encanta mi profesor de español porque es gracioso y me ayuda.

¿Qué profesores te gustan? *Which teachers do you like?*

Me encanta *I love* Me gusta mucho *I really like* Me gusta *I like* *Me cae bien *I like*	mi profesor de... *my... teacher (male)*	chino dibujo educación física español francés geografía historia inglés música teatro ciencias matemáticas	porque *because (he/she...)* ya que *seeing as (he/she...)* pero, a veces *but sometimes (he/she...)*	es aburrido — *is boring* es antipático — *is mean* es divertido — *is fun* es gracioso — *is funny* es perezoso — *is lazy* es pesado — *is annoying* es severo — *is strict* es simpático — *is nice* es terco — *is stubborn*	
				**es amable — *is kind* es impaciente — *is impatient* es inteligente — *is intelligent* es optimista — *is optimistic* es paciente — *is patient*	
No me gusta *I don't like* No me gusta nada *I don't like at all* No me cae bien *I don't like*	mi profesora de... *my... teacher (female)*			me ayuda — *helps me* me chilla — *shouts at me* me comprende — *understands me* me escucha — *listens to me* no me ayuda — *doesn't help me*	
				es aburrida es antipática es divertida es graciosa es perezosa es pesada es severa es simpática es terca	

Author's note:

* "Me cae bien" and "Me gusta" both mean "I like" and can be used interchangeably.

**The adjectives in this section: "amable", "impaciente" etc, don't change their endings (unlike aburrido/a) so you can use them in both the masculine and feminine forms.

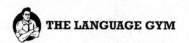

Unit 7. I can give opinions about teachers: LISTENING

1. Listen and complete with the missing syllable

a. Inteli _ _ _ te

g. Me escu _ _ _

b. Optimi _ _ _

h. Me chi _ _ _

c. Pa _ _ _ _ te

i. Abur _ _ do

d. Me _ _ _ bien

j. Pe _ _ do

e. Pere _ _ so

k. Se _ _ ra

f. Gra _ _ _ so

l. Me a _ _ da

cae	lla	cien	yu	gen	cha
ve	zo	sta	cio	sa	ri

2. Faulty Echo

e.g. Mi profesor de chino.

a. Porque es amable.

b. Mi profesor no me chilla.

c. Mi profesora me chilla.

d. Mi profesora es severa.

e. Mi profesor es paciente.

f. Mi profesora siempre me ayuda.

g. Mi profesor es aburrido.

h. Me cae bien mi profesor.

3. Break the flow: Draw a line between words

a. Miprofesoradedibujoesmuydivertida.

b. Mecaebienmiprofesordemúsicaporqueespaciente.

c. Megustamiprofesoradeingléysyaqueessimpáticayamable.

d. Nomegustamiprofesoradeteatroyaqueesbastanteterca.

e. Nomecaebienmiprofesordematemáticasyaqueessevero.

f. ¿Quéprofesorestegustan?Meencantamiprofesordechino.

g. Megustamiprofesoradegeografía,peroavecesnomeayuda.

h. Megustamuchomiprofesordefrancésyaqueessimpático.

THE LANGUAGE GYM

4. Listen and tick the correct answer

		1	2	3
a.	Mi profesor	me ayuda	me escucha	me comprende
b.	Mi profesora	es divertido	es divertida	es diferente
c.	Mi profesora	es pesada	es paciente	es pesado
d.	Mi profesor	es perezoso	es paciente	es perezosa
e.	Mi profesora	de chino	me escucha	me chilla
f.	Mi profesor	es severa	es simpático	es severo

5. Spot the Intruder

Identify and underline the word that the speaker is NOT saying

e.g. Mi profesor de chino <u>no</u> me ayuda.

a. ¿Qué profesores me te gustan? Mi profesor de física.

b. Mi profesora de las matemáticas es simpática.

c. No me gusta mi profesor de química porque es el terco.

d. Me gusta mucho el la profesora de ciencias.

e. Me encanta mi profesora de la geografía porque es graciosa.

f. Me encanta la mi profesora de historia.

g. Me gusta la mi profesora de dibujo porque me comprende.

h. Me cae bien mi profesor de español ya que es me ayuda.

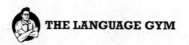

6. Listen and tick: True or False?

	True	False
a. My teacher is optimistic.		
b. My teacher is patient.		
c. My teacher is funny.		
d. My teacher is boring.		
e. My art teacher		
f. My French teacher		
g. My teacher is mean.		
h. I don't like my teacher.		
i. I don't like my teacher.		
j. My teacher listens to me.		

7. Fill in the grid in English

e.g. My teacher	is nice
a. My teacher	
b. I really like	
c.	my teacher
d. My teacher	
e. My teacher	
f. My teacher	
g.	my teacher
h.	the art teacher
i. My teacher	
j.	my Spanish teacher

8. Narrow Listening. Gapped translation

a. Hello, my name is Ana del Casar and I _____ in Madrid and I _____ like it. Every day I go to _____. On Monday I have maths and _____. I love the _____ teacher because he is _____ and never shouts at me. But ___ _____ _____ the physics teacher because _____ he is strict and doesn't _____.

b. _____ is Paloma Lozano and I live in the _____of _____, in San Roque. I like it because it's not too _____. During the _____ I go to school. On Tuesday I have physics and _____. I like my _____teacher because she is intelligent and _____ ___, but I don't like ___ _____ the French teacher since she is _____ and impatient.

THE LANGUAGE GYM

9. Catch it, Swap it

Listen, correct the Spanish, then translate the new word/phrase

e.g. *Mi profesor de dibujo es* ~~paciente~~ **impaciente**.

e.g. *impatient*	

a. Mi profesora de física es graciosa.

a.

b. Mi profesor de química es simpático.

b.

c. Mi profesora de alemán es terca.

c.

d. Me cae bien mi profesor de matemáticas.

d.

e. Me gusta mucho mi profesora de español.

e.

f. No me gusta mucho la geografía porque es aburrida.

f.

g. Me gusta el profesor de chino ya que es inteligente.

g.

10. Sentence Bingo

Write 4 of the sentences into the grid. You will hear sentences in Spanish. Tick all 4 of your sentences to win bingo.

1. Mi profesor de ciencias es amable.
2. Mi profesora de teatro es antipática.
3. Me gusta mucho mi profesora de geografía.
4. Mi profesor de dibujo es simpático.
5. Mi profesora de español no me chilla.
6. No me cae bien mi profesora de música.
7. Mi profesora de matemáticas me ayuda.
8. Me encanta mi profesora de chino.
9. Me cae bien mi profesor de teatro.
10. No me gusta mi profesor de historia.

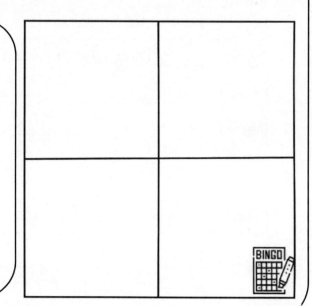

THE LANGUAGE GYM

11. Listening Slalom

Listen and pick the equivalent English words from each column – drawing a line as you follow the speaker

e.g. I like geography because it is fun. – Me gusta la geografía porque es divertida.

You could colour in the boxes for each sentence in a different colour and read out the sentence in Spanish

e.g.	I like	my history teacher	but sometimes	listens to me.
a.	I like	is impatient	**because**	she is patient.
b.	I don't like at all	**geography**	because sometimes	he shouts at me.
c.	I really like	my drama teacher	and sometimes	**it is fun.**
d.	I don't like	my maths teacher	since	he is strict.
e.	My Chinese teacher	my Spanish teacher	and also	mean.
f.	My English teacher	is patient	because he always	understands me.
g.	My art teacher	is very intelligent	since she never	quite funny.

Unit 7. I can give opinions about my teachers: READING

1. Sylla-Moles

Read and put the syllables in the cells in the correct order

te	sor	ta	Me	por	fe	en	cias	que	de	can	mi	es	cien	pa	cien	pro

> **a.** *I love my science teacher because he is patient:* M__ e_____
> m__ p_____ d__ c_____ p_____ e__ p_____.

me	glés	fe	Mi	a	sor	in	me	pro	da	cha	yu	de	es	y	cu

> **b.** *My English teacher helps me and listens to me:* M_ p_____ d__
> i_____ m__ a_____ y m__ e_____.

sor	pro	chi	ve	ca	fe	ro	se	si	de	Mi	es	me	siem	mú	lla	pre	y

> **c.** *My music teacher always shouts at me and he is strict.* M__ p_____
> d__ m_____ s_____ m__ c_____ y e__ s_____.

de	chi	Mi	pro	me	no	com	sor	pren	fe	no	de

> **d.** *My Chinese teacher doesn't understand me:* M__ p_____ d__
> c_____ n__ m__ c_____.

gra	so	es	jo	y	di	cio	bu	Mi	de	ble	fe	sor	ma	a	pro

> **e.** *My art teacher is kind and funny:* M__ p_____ d__
> d_____ e__ a_____ y g_____.

2. Read the paragraphs and complete the tasks below

1. Tengo trece años y estudio en un colegio en el centro de la ciudad. Me gusta mucho el chino porque es interesante, pero es un poco complicado. Me cae bien mi profesora de chino porque me ayuda y me escucha. Los viernes tengo clase de biología, me encanta porque es útil y el profesor es gracioso. Me encanta mi profesor de dibujo ya que no me chilla y no es severo.
(Carmen)

2. Tengo diez años y voy a una escuela de primaria en Palma de Mallorca. Los lunes tengo clase de inglés a las nueve, me encanta porque mi profesor es divertido y me comprende. A las once tengo clase de educación física. No me cae bien el profe, porque es pesado y terco. Los jueves estudio música y ciencias. Me encantan las ciencias porque son interesantes y el profesor es amable.
(Xavier)

A. For each sentence tick one box	True	False
a. Carmen really likes Chinese.		
b. Her school is in the city centre.		
c. She loves art because it's useful.		
d. Her art teacher shouts and is strict.		
e. Xavier has English on Mondays at 10.		
f. He loves English because his teacher fun.		
g. His PE teacher is optimistic and kind.		
h. On Thursdays he studies music and science.		
i. His science teacher is lazy.		

B. Find the Spanish for:

a. The teacher is funny.
b. On Fridays I have.
c. I love my art teacher.
d. I love it because it's useful.
e. And he is not strict.
f. At 11 I have a PE class.
g. The teacher is kind.
h. Doesn't shout at me.
i. But it's a little complicated.
j. I have English class at 9.
k. And understands me.
l. I like my Chinese teacher.
m. Annoying and stubborn

C. Read the sentences again and decide if they refer to Carmen or Xavier

a. Has biology on Friday.
b. Gets on well with Chinese teacher.
c. Loves science.
d. Teacher is funny.
e. Goes to a primary school.
f. Doesn't get on well with PE teacher.
g. Says that biology is useful.
h. Teacher helps and listens to them.

THE LANGUAGE GYM

3. Read, match and find the Spanish

A. Match these sentences to the pictures above

a. Me encanta mi profesor de música porque es optimista.

b. No me gusta nada mi profesor de informática porque es severo.

c. Mi profesora de chino siempre me ayuda.

d. Mi profesor de matemática no me chilla.

e. Mi profesora de teatro es muy graciosa.

f. Mi profesor de ciencias me comprende.

g. Mi profesora de educación física es paciente.

h. Me encanta la geografía porque el profe me escucha.

i. No me cae bien mi profe de historia porque es pesado y perezoso.

j. Me gusta mucho mi profesora de dibujo porque es inteligente y divertida.

B. Read the sentences in task A again and find the Spanish for:

a. My maths teacher
b. Is very funny.
c. Listens to me.
d. Always helps me.
e. Is annoying and lazy.
f. Is intelligent and fun.
g. I don't like my history teacher.
h. My drama teacher
i. I love geography.
j. Because he is strict.
k. Understands me.
l. Is optimistic.
m. Doesn't shout at me.

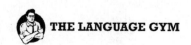

4. Tiles Match. Pair them up

1. Is impatient	**b.** Mi profe de música
3. Is stubborn	**2. Is lazy**
d. Es amable y paciente	**f.** Es perezosa
a. Es terco	**e.** Es impaciente
5. My music teacher	**c.** Me escucha
6. Is kind and patient	**4. Listens to me**

5. Tick or Cross

A. Read the text and tick the box if you find the words in the text, cross it if you do not find them

Por lo general soy bastante simpático y trabajador. Todos los días voy al colegio en coche a las ocho y media. Me encanta mi profesor de teatro, porque es muy divertido, pero a veces me chilla. Los jueves tengo clase de español. Me cae bien la profesora ya que me ayuda y me escucha. No me gusta mucho mi profesor de ciencias, porque es un poco severo e impaciente. También me gusta mucho mi profe de español, porque es inteligente y me comprende. No me cae bien mi profe de matemáticas ¡Nunca me escucha! Y a ti, ¿Qué profesores te gustan?

	✓	✗
a. Porque es muy divertido.		
b. Tengo clase de inglés.		
c. Me encanta mi profesor.		
d. Y me comprende.		
e. My Spanish teacher		
f. I go to school by car.		
g. I am quite talkative.		
h. Since she helps me.		
i. My teacher is kind.		

B. Find the Spanish in the texts above

a. What teachers do you like? _____

b. But sometimes he shouts at me. _____

c. On Thursdays I have Spanish class. _____

d. I don't like my maths teacher. _____

e. Is a little strict and impatient. _____

THE LANGUAGE GYM

6. Language Detective

★ ¿Qué profesores te gustan? Me cae bien mi profesor de educación física, porque es divertido y me ayuda. <u>Tambíen me gusta</u> mi profesora de francés porque es paciente. En mi opinión mi profesora de inglés es amable y nunca me chilla. **<u>Amelia</u>**

★ Me cae bien mi profesor de ciencias, porque es inteligente y simpático. Tengo clase de química los jueves y los viernes. No me gusta mucho mi profesora de informática, porque siempre me chilla. Prefiero mi profesor de chino, porque es gracioso. **<u>José</u>**

★ A mi amigo le gusta la historia, porque es interesante, pero no le gusta mucho el profesor, porque es severo. Él tiene clase de dibujo los miércoles y le encanta, porque es útil. No le cae bien el profesor de geografía, porque es pesado y terco. **<u>Valle</u>**

★ En mi colegio estudio música y teatro. Me cae bien mi profesora de teatro, porque me escucha y nunca es perezosa. Me cae mal mi profesor de matemáticas, porque es impaciente, un poco perezoso y no me comprende. **<u>Leo</u>**

A. Find someone who…

a. …doesn't like his maths teacher.

b. …prefers his Chinese teacher.

c. …geography teacher is annoying.

d. …French teacher is patient.

e. …has art on Wednesday.

f. …ICT teacher always shouts.

g. …says that the history teacher is strict.

h. …chemistry teacher is intelligent.

i. …says the English teacher is kind.

j. …studies music and drama.

k. …her friend likes history.

l. …says that the PE teacher is fun.

m. …loves art because it's useful.

B. Find and underline the Spanish in the text. One box is not mentioned!

Also I like	Helps me	Do you like?
Is stubborn	My drama teacher	Is impatient
Chemistry class	My science teacher	Always shouts at me
Is kind	Doesn't understand me	In my school
Is never lazy	Because is strict	He doesn't like a lot

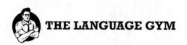

THE LANGUAGE GYM

Reorder the sentences in the square to translate the paragraph below.
Number them 1 to 15.

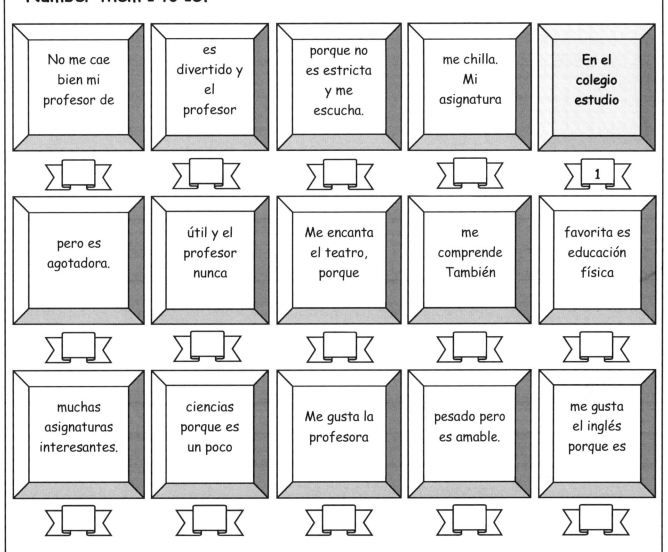

| No me cae bien mi profesor de | es divertido y el profesor | porque no es estricta y me escucha. | me chilla. Mi asignatura | **En el colegio estudio** |
| | | | | 1 |

| pero es agotadora. | útil y el profesor nunca | Me encanta el teatro, porque | me comprende También | favorita es educación física |

| muchas asignaturas interesantes. | ciencias porque es un poco | Me gusta la profesora | pesado pero es amable. | me gusta el inglés porque es |

At <u>school I study</u> many interesting subjects. I love drama, because it is fun and the teacher understands me. I also like English because it is useful and the teacher never shouts at me. My favourite subject is physical education, but it is tiring. I like the teacher because she is not strict and she listens to me. I don't like much my science teacher because he is a little annoying, but he is kind.

THE LANGUAGE GYM

1. es terco,	**2**. gracioso,	**3**. mi profesor de	**4**. pero	**5**. dibujo
6. optimista	**7**. severo	**8**. Me cae bien	**9**. a veces	**10**. español
11. No me cae bien	**12**. mi profesora de	**13**. es impaciente	**14**. me escucha	**15**. música
16. es paciente	**17**. me ayuda	**18**. me chilla	**19**. es simpática	**20**. ya que
21. Me encanta	**22**. Me gusta	**23**. no me comprende	**24**. matemáticas	**25**. y
26. nunca	**27**. mucho	**28**. es divertido	**29**. También	**30**. porque

C: Crack-it: crack the code and write the sentence in Spanish

T: Transl-it: translate the sentence into English

a. 8-3-15-30-28-25-2-4-9-23

C: _____

T: _____

b. 22-27-12-10-30-19-25-14

C: _____

T: _____

c. 11-3-5-30-13-25-7-29-1-4-9-17

C: _____

T: _____

d: 21-12-24-20-16-25-6-25-26-18

C: _____

T: _____

Unit 7. I can give opinions about my teachers: WRITING

1. Spelling

a. M__ c__ __ b__ __n m__ pro__ __ __ __r.   *I like my teacher.*

b. M__ p__ __fe__ __ __ d__ c__ __nci__ __.   *My science teacher.*

c. M__ c__ __p__ __ __ __ __ __ y me a__ __d__.   *He/she understands me and helps me.*

d. N__ __ ca m__ c__ __ __ __ __a.   *Never shouts at me.*

e. S__ __ __ m__ __ __ __ m__ e__ __ __ __ __ __ a.   *Always listens to me.*

2. Anagrams

a. oN em cea enbi im fepsoror ed temmaticaás.   *I don't like my maths teacher.*

__ __   __ __   __ __ __   __ __ __ __   __ __   __ __ __ __ __ __ __ __   __ __   __ __ __ __ __ __ __ __ __ __ __ __.

b. iM fesoropr ed fcaísi se tisimcopá y ablema.   *My physics teacher is nice and kind.*

__ __   __ __ __ __ __ __ __ __   __ __   __ __ __ __ __   __ __   __ __ __ __ __ __ __ __ __ __ __ __ _ __ __ __ __ __.

c. aL opsoerraf ed icnho se aiepntce y em ydaua.   *The Chinese teacher is patient and she helps me.*

__ __   __ __ __ __ __ __ __ __   __ __   __ __ __ __ __   __ __   __ __ __ __ __ __ __ __ _ __ __   __ __ __ __.

3. Gapped Translation

a. Mi profesora de alemán me comprende y nunca me chilla.

My _____ teacher _____ ____ and never _____ at me.

b. Me cae bien el profesor de dibujo, porque es gracioso y me ayuda.

I _____ my _____ teacher, because he is _____ and he _____ me.

c. Me gusta mucho la profesora de inglés ya que es optimista y me escucha.

I _____ like my English teacher _____ she is _____ and she _____ to me.

d. No me gusta nada el profesor de teatro, porque a veces es terco.

I don't like ____ _____ my _____ teacher, because _____ he is _____.

4. No Vowels

a. I like my English teacher because he is kind.

M__ c___ b___n m__ pr__f__s__r d__ __ngl__s, p__rq__ __ __s __m__bl__.

b. I don't like my art teacher since she is stubborn.

N__ m__ g__st__ m__ pr__f__s__r__ d__ d__b__j__ y__ q__ __ __s t__rc__.

c. I like RE, because it is interesting.

M__ g__st__ l__ r__l__g__ __n, p__rq__ __ __s __nt__r__s__nt__.

d. I love my French teacher because she helps me.

M__ __nc__nt__ m__ pr__f__s__r__ d__ fr__nc__s p__rq__ __ m__ __y__d__.

5. No Consonants

a. I like my science teacher, but she is strict.

__e __u__ __a __i __ __o __e __o__a __e __ie__ __ia__, __e __o e__ __e__e__a.

b. Which teachers do you like? The physics teacher.

¿__ue __ __o __e __o __e__ ___ __u__ __a? E__ __ __o __e __o__ __e __í__i__a.

c. I don't like my music teacher since he shouts at me.

__o __e __ae __ie__ __i __ __o __e __o__ __e __ú__i__a __a __ue __e __ __ __i__ __a.

6. Split Sentences

1. Me cae	a. es simpático	**1**	
2. La profesora	b. nada la profesora de inglés	**2**	
3. La profesora me	c. ayuda	**3**	
4. Me gusta	d. antipática	**4**	
5. El profesor de chino es	e. es simpática	**5**	
6. El profesor de física	f. mi profesor de dibujo	**6**	
7. La profesora es	g. muy severo	**7**	
8. No me gusta	h. bien	**8**	

7. Fill in the gaps

a. Hola, tengo doce _____ y me gusta _____ mi colegio. Me cae _____ la profesora de

_____ ya _____ siempre me _____ pero no me gusta nada el _____ de

matemáticas porque es _____ y a veces me _____.

impaciente	años	que	mucho	física	bien	profesor	escucha	chilla

b. ¿Qué profesores te _____? Me _____ mucho el profesor ___ chino ya que _____

me ayuda y me _____. Además, me _____ mi profesora de _____ ya que

es graciosa y optimista, pero a _____ es impaciente y _____ me escucha.

no	veces	siempre	gusta	música	gustan	comprende	encanta	de

8. Sentence Puzzle

Put the Spanish words in the correct order

a. Mi de español profesora muy graciosa es
My Spanish teacher is very funny.

b. ¿gustan te profesores Qué? bien cae de matemáticas mi Me profesor
Which teachers do you like? I like my maths teacher.

c. No es terco bien porque impaciente me cae profesor de física mi e
I don't like my physics teacher because he is stubborn and impatient.

d. profesora es amable mi de geografía ya y me ayuda Me encanta que
I love my geography teacher since she is kind and she helps me.

e. profesor me antipático nada mi de gusta francés porque No pesado y es
I don't like at all my French teacher because he is annoying and mean.

f. mi de es música Me que cae es a veces ya profesor es gracioso, pero severo bien
I like my music teacher since he is funny, but sometimes he is strict.

THE LANGUAGE GYM

9. Faulty Translation: write the correct English version

e.g. My German teacher. ⟹ *El profesor de dibujo.* | *e.g.* The art teacher |

a. My teacher is lazy. ⟹ Mi profesor es terco. | a. |

b. My teacher shouts at me. ⟹ Mi profe me escucha. | b. |

c. My teacher is optimistic. ⟹ Mi profesor es amable. | c. |

d. My teacher is nice. ⟹ Mi profesor es antipático. | d. |

e. My teacher is fun. ⟹ Mi profesor es paciente. | e. |

10. Phrase-level Translation. How would you write it in Spanish?

a. I like my French teacher. _____

b. I don't like my Spanish teacher. _____

c. I love my music teacher since she is patient. _____

d. I really like my drama teacher because he helps me, but sometimes he is annoying.

_____

e. Which teachers do you like? _____

11. Sentence Jumble: unscramble the sentence

a. Me profesor gusta mi de español.

_____

b. bien profesora No me mi de música. cae

_____

c. porque mi de Me inglés inteligente. encanta es profesora

_____

d. mi es aburrido. profesor mucho de ciencias a veces Me gusta pero

_____

e. me profesora ayuda y es Me cae simpática. también mi de chino porque bien

_____

12. Guided Translation

a. ¿Q_____ p_____ t____ g_____? E__ p_____ d__ i_____.
Which teachers do you like? The English teacher.

b. M__ c_____ b_____ m__ p_____ d__ m_____ y__ q____ e__ a_____.
I like my music teacher since he is kind.

c. M__ p_____ d__ f_____ e__ o_____ e i_____.
My physics teacher is optimistic and intelligent.

d. M__ e_____ m__ p_____ d__ f_____ p_____ n__ m__ c_____.
I love my French teacher because he doesn't shout at me.

e. N__ m__ g_____ n_____ m__ p_____ d__ c_____. E__ a_____.
I don't like at all my Chinese teacher. He is mean.

13. Tangled Translation

a. Write the Spanish words in English to complete the translation

En el cole, los martes I study **religión**, ICT, English and **francés. Me gusta mucho la religión** because my teacher **es divertido y** understands me. **También,** I like my French teacher **ya que es amable y me ayuda.** I don't like at all **mi profesor de informática porque** is stubborn and strict **pero a veces** helps me. I love my **profesora de inglés porque** is patient.

b. Write the English words in Spanish to complete the translation

Por la mañana **I get up at** las siete y voy al cole **at eight.** Todos los días estudio **art, Spanish and science.** No me gusta mucho el dibujo porque el profesor **is impatient and a little mean.** Me gusta mucho mi **Spanish teacher** porque **he listens to me** y es divertido. **I also love** mi profesora de ciencias porque **she understands me** y **she is funny.**

THE LANGUAGE GYM

14. Rock Climbing

Starting from the bottom, pick one chunk from each row to translate the sentences below.

me ayuda.	simpática.	terco.	es aburrida.	me chilla.
pero a veces	y	y también	y a veces	y siempre
optimista	graciosa	paciente	severa	impaciente
porque no es	ya que no es	porque es	ya que siempre es	ya que es
mi profesora de ciencias	mi profesor de inglés	la profesora de alemán	mi profesor de matemáticas	el profesor de química
Me cae bien	No me cae bien	No me gusta nada	Me encanta	Me gusta mucho
a.	b.	c.	d.	e.

a. I like the German teacher since she is always funny and also nice.

_____

b. I don't like the chemistry teacher because he is impatient and sometimes stubborn.

_____

c. I don't like at all my English teacher because he is not patient and he shouts at me.

_____

d. I love my science teacher since she is not strict, but sometimes she is boring.

_____

e. I really like my maths teacher since he is optimistic and always helps me.

_____

THE LANGUAGE GYM

15. Staircase Translation

Starting from the top, translate each chunk into Spanish.

Write the sentences in the grid below.

a.	My teacher	is kind.				
b.	I really like	my Spanish teacher	because he is not boring.			
c.	I don't like at all	my French teacher	since he is mean	and boring.		
d.	I love	my maths teacher	since she is not annoying,	but sometimes	she shouts at me.	
e.	I like	my English teacher	because he is intelligent	and also optimistic,	but sometimes	he shouts at me.

Answers / Respuestas

a.	
b.	
c.	
d.	
e.	

Challenge / Desafío

Can you create 2 more sentences using the words in the staircase grid above?

☆	
☆	

16. Guided Writing - *Myself, clothes, school subjects & teachers*

A. Use the information below to complete the gaps in the Spanish paragraph.

Name: Florencia   Age: 12   Lives: Chile   Personality: patient and kind

Clothes: At home she normally wears a blue t-shirt, at school no uniform

School subjects: Loves science (interesting) and PE (fun but tiring)

Teachers: She likes English teacher (she helps her and she is intelligent)

Me llamo Florencia. Tengo _____ años y vivo en Chile. Por lo general soy _____ y

_____. En casa normalmente llevo una _____ azul. En el colegio no _____ uniforme.

Me encantan las ciencias porque son _____ y la educación física porque es _____

pero agotadora. Me _____ bien mi profesora de inglés porque me _____ y es inteligente.

B. Now use the information below to write a paragraph in Spanish. Can you add anything else?

Name: Rubén   Age: 13   Lives: Argentina   Personality: shy but funny

Clothes: At home wears shorts and a black t-shirt, at school uniform (likes it)

School subjects: He has history on Monday (but it is boring). He loves maths (useful, but a little complicated)

Teachers: He likes Spanish teacher (she is kind and understands him) but doesn't really like her art teacher (he is strict and doesn't listen to him).

_____

_____

_____

_____

One pen One dice

Play in pairs. You only have 1 pen and 1 dice.

One person has the pen and starts translating the sentence into **English.** The other person rolls the dice until they roll a 6, they swap the pen and translate. The winner is the person who finishes translating all the sentences first.

1. Me encanta mi profesor de dibujo porque es divertido.	
2. Me cae bien mi profesora de francés porque es simpática.	
3. ¿Qué profesores te gustan?	
4. No me gusta mi profesor de música porque es impaciente.	
5. Me gusta mucho mi profesor de inglés ya que me escucha.	
6. No me cae bien mi profesora de ciencias porque es perezosa.	
7. Mi profesor de teatro me ayuda y es gracioso.	
8. Mi profesora de matemáticas me comprende y es paciente.	
9. Me cae bien mi profesora de chino, pero a veces es pesada.	
10. No me gusta nada mi profesor de historia porque me chilla.	

One pen One dice

Play in pairs. You only have 1 pen and 1 dice.

One person has the pen and starts translating the sentence into **Spanish.** The other person rolls the dice until they roll a 6, they swap the pen and translate. The winner is the person who finishes translating all the sentences first.

1. I love my art teacher because he is fun.	
2. I like my French teacher because she is nice.	
3. Which teachers do you like?	
4. I don't like my music teacher because he is impatient.	
5. I really like my English teacher since he listens to me.	
6. I don't like my science teacher because she is lazy.	
7. My drama teacher helps me and he is funny.	
8. My maths teacher understands me, and she is patient.	
9. I like my Chinese teacher but sometimes she is annoying.	
10. I don't like at all my history teacher because he shouts at me.	

THE LANGUAGE GYM

Printed in Great Britain
by Amazon

17826117R10097